Reinterpreta t
y caídas para t...

POR QUÉ ESTÁS DONDE ESTÁS

JOSÉ GALINDEZ

¿Por qué estás donde estás?

Reinterpreta tus errores, fracasos y caídas para tener una mejor vida.

© 2023 José Galíndez

Hardcover ISBN: 978-1-956625-47-9

Paperback ISBN: 978-1-956625-46-2

eBook ISBN: 978-1-956625-48-6

Editado por Henry Tejada

Diseño de Interior: Mauricio Dias

Diseño de Portada: Pablo Montenegro

Publicado por Página Azul

2051 NW 112 AV Unit 129

Miami, FL 33172

Impreso en Colombia

DEDICATORIA

*A Dios. Gracias por permitirme culminar
una hazaña que parecía imposible.
A mi hijo, Mayson. Todo lo que hago, lo hago por ti.
A mis padres. Gracias por todo lo que me inculcaron.
A ti que me lees. Gracias por creer.*

CONTENIDO

Dedicatoria 3

Introducción 7

PARTE 1: LA REDEFINICIÓN

1. Cómo definimos y percibimos el fracaso 15

2. ¿Es el éxito lineal? 27

PARTE 2: EL ENTENDIMIENTO

3. Ceder o abrirnos camino 53

4. Nadie podrá contar tu historia mejor que tú 75

PARTE 3: LA ACCIÓN

5. Todo saldrá mal 95

6. Sé el mejor conserje 127

PARTE CUATRO: REACCIÓN

7. Tu peor enemigo 163

8. El peor riesgo 183

Acerca del autor 207

TODO COMIENZA CONTIGO

Si vienes buscando una fórmula, la clave, o un atajo para el éxito, cierra este libro, no es para ti. En cambio, si quieres crecer, encarar tus faltas y cuestionar por qué estás donde estás, este libro será una herramienta vital para ti.

INTRODUCCIÓN

Trece años. Es la cantidad de tiempo que pasé intentando cosas para alcanzar lo que pensaba que era el éxito. Comencemos por mencionar lo equivocado que estaba. Así como muchas personas, creía que el éxito era todo lo material que podía ostentar. Pasé todo ese tiempo intentando cosas que no rindieron fruto, ya sea porque perdía la motivación, porque no tenía dinero para seguir invirtiendo en las cosas que quería, o porque simple y sencillamente no tenía la disciplina y la convicción para continuar con la meta que establecí.

La definición de éxito que había obtenido de las cosas que veía en el televisor, internet, en la gente de mi barrio y hasta en mi propia familia, era pura basura. Casas, autos de lujo, yates o unos zapatos Salvatore Ferragamo estaban a la orden del día cuando se hablaba del éxito; pero esto no era posible si no estudiabas para tener una buena profesión que pagara un salario digno. Ahora que lo leo después de haberlo escrito, me doy cuenta de lo ridículo e ingenuo que fui en aquel entonces.

De vago pa' abajo le decían al que quería vivir de algún tipo de arte, o hacer algo que no implicaba tener un trabajo tradicional de nueve de la mañana a cinco de la tarde. Pero, ¿qué hay del fracaso? ¿Me dijeron también una mentira del mismo? No solo una, yo diría que me dijeron unos cuantas mentiras sobre el fracaso. La connotación, más allá de ser negativa, tenía un desenlace final y firme: del fracaso nadie se levantaba. En pocas palabras, el fracaso era como caerte en una tumba en lugar de haberte caído en un hoyo.

En este libro vamos a asimilar, entender y redefinir el fracaso para convertirlo en nuestro aliado. Te invito a que no solo lo leas por leerlo, hazte un favor a ti mismo y sé firme, ejecuta todas y cada una de las enseñanzas descritas en aquí y descubrirás una perspectiva de victoria.

Mi intención con este libro es que rompas las cadenas de la mentalidad que nutrieron mientras crecías. Quiero que entiendas que para que puedas tener la llave que te llevará al éxito que tanto deseas, o con el que tanto has soñado, tienes que ser roto para ser construido nuevamente. Cuando me enlisté en el ejército, dijeron que convertirían de mí una nueva criatura, este es tu campo de entrenamiento. En este camino tendrás que desaprender muchas definiciones, tendrás que abandonar muchas ideologías basadas en temor, desinformación y victimización. Mi estilo no es de adornar las cosas, y entiendo cómo eso puede ser chocante, pero eso es lo que puedo ofrecerte: un discurso sin paños tibios, accionable y con un punto de vista con el que puedas relacionarte.

Para poder cumplir con esta misión, me vi en la obligación de dividir este libro en cuatro áreas que abarcan lo que conocemos como fracaso: la redefinición, el entendimiento, la acción y la manera en la cual reaccionas a las cosas que te suceden en el camino. Félix Trinidad, en su pelea con Oscar De La Hoya, a pesar de estar abajo en las tarjetas a los ojos de muchas personas, mostró dos cualidades indiscutibles: resiliencia y perseverancia, aunque las cosas no pintaban bien. Esta es tu batalla campal y tu pelea no va a durar 12 asaltos, campeón, durará mucho más que 36 minutos de esfuerzo, disciplina y convicción.

Empezaremos escribiéndole una carta al fracaso. Sí, al fracaso, aunque te parezca algo extraño. Le dejaremos varios puntos claros para que entienda que no nos controla, y hacemos una tregua para convertirlo en nuestro mayor aliado.

Tu travesía desmantelando tu antigua versión, y construyendo un campeón invencible, acaba de comenzar.

CARTA AL FRACASO

Querido Fracaso:

Ponderé escribirte esta carta por mucho tiempo, pero no lo hice pensando en que se vería como una impertinencia. Desde muy joven caí en tus garras y se sentía como arena movediza, y de allí no había quien carajo me sacara. Conmigo "se te fue la mano" como dicen por ahí. No puedo negar el resentimiento que sentí hacia ti por todas las cosas que viví. Me contaron una historia de terror, y mi verdugo tenía nombre y apellido desde que di mis primeros pasos. Caí en el abismo arraigado de la esperanza, pero sumido en la peor de las depresiones al mirar hacia el horizonte buscando respirar un aliento de paz.

Me hiciste pensar que no había forma de levantarme. Fue algo parecido a un soldado enviado al teatro habiendo sido victima de una explosión que eliminó sus extremidades; pero regresé a casa con un corazón púrpura adornando mi uniforme. Me hiciste meterme en trincheras que jamás imaginé; y la peor guerra la viví con mi mente. Las heridas que sufrí, debido a tu poca deferencia, construyeron un carácter persistente. Seguí levantándome todas las veces que caí, como si fuese paciente de sonambulismo.

Es importante que sepas que aunque me tocó "pasar las de Caín", no te guardo rencor. De cierta forma entiendo que la visión que tenía de ti no era más que un espejismo, algo que idealicé mientras escuchaba el sermón incorrecto. La mala voluntad que desarrollé en tu contra fue mi culpa, y asumo esa responsabilidad. Aunque esto suene como recriminación, más bien busco que entiendas mi punto de vista y la razón por la cual no tuvimos la mejor relación al cabo de estos años.

A estas alturas guardarte rencor no tiene caso, porque tragar un sorbo de veneno y esperar que el mismo te cause la muerte, raya en lo absurdo. Me dejé llevar por lo que me contaron de ti y no fui capaz de desarrollar una conclusión en base a mi criterio.

Siento que en cierta manera te fallé, y es por esa razón que hoy quiero limar asperezas. Propongo una tregua entre nosotros, y, contrario a la visión erronea que tenía sobre ti, convertirnos en aliados. Es meritorio que continúe buscándote, porque posees toda la mentoría que necesito en mi camino. Reconozco que tu nivel pedagógico no tiene comparación, y sin darme cuenta te convertiste en el mejor maestro que pude tener.

Esta carta ha sido redactada desde un espacio de entendimiento, fortaleza y, sobre todas las cosas, madurez. Este pacto marca el comienzo de un camino lleno de espinas, cuyo destino final estará lleno de pétalos. Que el destino se amarre los cordones, porque nuestra unión es vitalicia.

—José

PARTE 1

LA REDEFINICIÓN

¿Cuándo redefinimos algo? El acto de redefinir no es solo cambiarle el significado a un término, también se redefinen proyectos, metas, objetivos y costumbres, estableciendo nuevas pautas y características. En ocasiones nos negamos a redefinir algo por costumbre o por testarudos.

La vida de muchos soldados se ha perdido debido a que altos oficiales del ejército no quisieron redefinir el objetivo de una misión, o cambiar el curso de una acción, cuando sabían que era lo correcto.

Fallamos en considerar que es posible que algunas de nuestras metas hayan sido afectadas por algunos factores, y tengamos que rediseñar la manera en la que vemos esta meta.

Hace mucho hemos tenido que darle un nuevo giro a la palabra fracaso; y todo comienza por la redefinición de este término.

CAPÍTULO 1

CÓMO DEFINIMOS Y PERCIBIMOS EL FRACASO

*Caerse no es un fracaso. Se convierte en
fracaso cuando te quedas donde te caíste.*

—SÓCRATES

Los académicos han definido el fracaso como el resultado adverso de una empresa o negocio; un suceso lastimoso, como una caída o ruina estrepitosa de algo, o un rompimiento. Sin embargo, se han olvidado incluir que el fracaso significa crecer, que el fracaso es inevitable para el ser humano y —en mi opinión, necesario— para alcanzar el éxito.

A medida que crecemos somos bombardeados con conceptos incompletos, y en ocasiones erróneos, sobre el fracaso. Esto, a su vez, nos hace crear nuestro propio juicio sobre el fracaso, basado en lo que nuestros padres, maestros y los medios de comunicación nos predican. Es así que desarrollamos una identidad en base a patrones que vemos en la gente que nos rodea.

Y aquí empezamos a ver el fracaso como un resultado final y no como parte de un proceso. Nos acondicionamos a pensar que el fracasar nos hace unos fracasados. Esto altera nuestra percepción y evadimos cualquier encomienda que represente un riesgo de fracaso o de no cumplir con la meta final de manera impecable.

AFINA TU PERCEPCIÓN

La habilidad de tener la percepción correcta es un privilegio, y esta muchas veces se ve afectada por el entorno al cual somos expuestos desde temprana edad. Es complicado hablar de esto porque la realidad es que no controlamos donde nacemos, donde nos criamos, ni a lo que vamos a ser expuestos en los primeros años de nuestra vida; pero tenemos el poder de cambiar nuestra percepción.

Nuestros dotes de percepción pueden ser la mayor bendición, o la mayor condena. Después que nos suceden las cosas tenemos una pregunta importante que hacernos: ¿Cómo dejo que toda esta basura me afecte? La percepción es mágica, porque nos entrega la capacidad de redefinir lo que todos estos sucesos significarán para nosotros.

Y, por si acaso, no estoy hablando de la vieja confiable: "Trata de verlo desde el lado positivo", porque hay cosas que simplemente no tienen lado positivo. Explícame lo positivo de que un depredador sexual abuse de un menor. Desde mi punto de vista, ese tipo de discurso raya en el cinismo, y lo aborrezco con vehemencia.

Percepción, en términos simples, equivale a neutralidad, la capacidad de ver las cosas por lo que son. No estamos inclinados a que definitivamente tenga que ser una de dos alternativas: negativo o positivo. Puede parecer increíble, pero dos personas sometidas a la misma situación pueden verla como una crisis o como una oportunidad, dependiendo cual sea su percepción. Cada cual percibe la vida desde sus ojos, ahí es donde debes tener ventaja del ser humano promedio.

El peor enemigo de la percepción, es ese cabrón que habita en ti después de dos cervezas, y que te hace pensar que extrañas a tu ex, así que le envías un mensaje de texto del cual terminas arrepintiéndote. Ese enemigo se llama emoción. Las decisiones emocionales, nueve veces de diez, nos meten en problemas, por eso hay que tomar decisiones con la "cabeza fría como dicen por ahí. Una decisión emocional puede convertir un problema mínimo, en una situación de cuidado que pudiste evitar si en lugar de ser emocional, hubieses tenido otra perspectiva de la situación.

Otras personas definen el fracaso como la inhabilidad de cumplir con las expectativas. El problema es que esas expectativas, en la mayoría de las ocasiones, son externas. Y es aquí, campeón, donde tenemos que romper con la mentalidad "popular". El éxito, lo que típicamente asociamos como el resultado opuesto al fracaso, puede ser definido de mil maneras. Hoy día muchos lo asocian o definen con tener un producto Gucci, Balenciaga, Bugatti y una mansión en Miami.

> *"Dos personas sometidas a la misma situación pueden verla como una crisis o como una oportunidad"*

De ninguna manera pienses que condeno al que quiera un Bugatti, porque yo no ando a pie, ni me voy a divertir usando un taparrabo. Nuestros padres quizá lo asociaban con un retiro o pensión de una multinacional. Y tú, ahora mismo, te estas cuestionando si estos son tus definiciones del éxito o no. Esto no está mal. Pero las verdaderas preguntas que debes hacerte, son: ¿Estás buscando tu éxito o la percepción del éxito de otras personas? ¿Estás trabajando para obtener y crear la vida con la que sueñas o darle un buen *story* o *post* de Instagram a los que sueñan con el "éxito" de otros?

No podemos poner nuestra definición del fracaso y el éxito en las manos de otras personas. Trabaja para ti y los tuyos, crea tus propias metas, ve por ellas y que no te importe lo que digan los demás. Tu percepción del fracaso puede ser moldeada y utilizada para empoderarte a tratar más, a tomar acción consistentemente y mantenerte en un proceso continuo de autoevaluación, ajuste y mejoramiento.

También podemos explorar el concepto de fallar como un seudosinónimo del fracaso. El fallar se define como no acertar algo, o equivocarse en ello. Si seguimos por esta línea, vemos que la connotación al fallar o fracasar no son nada alentadoras. Pero a su vez, encuentro que estas definiciones tienden a describir un resultado final, y no un proceso en curso.

En este libro esperamos cambiar tu percepción del fracaso, porque el fracaso implica acción y la acción eventualmente nos lleva al éxito. Por supuesto que nos vamos a pelar las rodillas y vamos a tener días en los que nos vamos a cuestionar si seguir intentando vale la pena; pero la alternativa, el no movernos y accionar, tampoco nos llevara al éxito. De pequeño tenía una bicicleta que me regalaron, y como a muchos que están leyendo este libro, comencé con unas ruedas de entrenamiento porque mi balance era un desastre.

Cuando mi papá decidió quitar una de las dos ruedas, me di tremendos golpes que ni botándolos se iban...

pero seguí persistiendo, hasta que eventualmente corrí bicicleta sin ruedas de entrenamiento. Pude haber renunciado después de que me pelara las rodillas dos o tres veces, pero la determinación contó una historia diferente. Esa es la perspectiva que debemos asumir en muchas de las cosas que intentaremos en nuestra vida. Cuando lo miramos desde ese punto de vista, la opción a escoger ni siquiera debe ser puesta en duda.

La percepción del fracaso y el éxito está completamente prostituida. Quizá podemos culpar a las redes sociales, el deseo de ser conocido a cualquier precio, o simplemente podemos internalizar que en algún momento hemos sido parte del problema. Solemos darle la etiqueta de "éxito" al que viste ropa de marca y conduce un carro caro porque el visual que presenta es mas bonito. Sin embargo, en muchas ocasiones estas personas, en especial *influencers*, solo recurren a crear este visual independiente de cual sea su realidad ya que tienes que "fake it until you make it" (fingir hasta que lo logres).

Pero esto no solo lo hacen los *influencers*, vemos cómo la industria de la música también está llena de este tipo de figuras que no pueden pagar la renta porque necesitaban comprar ciertas prendas para dar la impresión de que lo que escriben en sus canciones es realidad. El típico "fronteo", es decir, presumir mucha confianza y hasta jactarte de lo que no tienes. El rapero

Drake recientemente aceptó que durante el inicio de su carrera alquiló un Rolls Royce para que la gente pensara que le iba bien. Sacaba cinco mil dólares mensuales de donde pudiera, para poder costear el alquiler de este auto que en sus ojos representaba estatus y éxito. Cabe destacar que estamos hablando de Drake, un tipo supertalentoso que reconoció que formaba parte de una industria sumamente visual.

> *"El fracaso implica acción y la acción eventualmente nos lleva al éxito"*

Estas percepciones en ocasiones suelen estar vacías, no tienen ninguna sustancia real que llene al individuo. Nos ha pasado a la mayoría: compramos un carro nuevo que no podemos pagar para impresionar al vecino que ni siquiera nos presta atención. Te voy a decir desde ahora que eso no es necesario. Mi primer carro fue un Toyota Solara que compré en el 2009, cuando aún cursaba el cuarto año de escuela superior. Yo manejé ese Solara hasta destruirlo, tanto así que vine a cambiarlo once años después, cuando un sexagenario se quedó dormido y por poco convierte aquel Solara en una lata de salchichas. No te engañes, querer un carro más caro para impresionar a la gente, es la trampa que nos lleva a perseguir el sueño de otros.

CAERSE NO ES FRACASO, NO LEVANTARTE LO ES

El fracaso, por otra parte, también es llevado al extremo. De la misma manera que se glorifica el éxito superficial de algunos, demonizamos el fracaso temporal de otras personas. En la NBA, cuando un prospecto no cumple con las expectativas de los fanáticos, los analistas y los expertos rápidamente los etiqueta como fracasados. Nadie está considerando la definición del éxito de esa persona. ¿Qué tal si su sueño, en cuanto a baloncesto se refería, era solo llegar y obtener un contrato de NBA para comprarle un hogar a su mamá? De ser así, ¿es realmente esa persona un fracaso? ¿Ha fracasado en su objetivo? Aquí es donde los que nos consideramos los amos del universo, cuando se habla del fracaso, le sacamos varios carros de ventaja al que se dejó llevar por simplemente escuchó del fracaso. No existe una definición escrita en piedra de lo que es el éxito, y en esta sopa de letras tenemos la ventaja de poder diseñarlo a nuestro antojo, ¡el cincel está en tus manos!

Grandes filósofos nos han dejado invaluables aprendizajes a través de los años. Albert Einstein nos dijo que "una persona que nunca ha cometido un error (o fracasado) es porque nunca ha intentado nada nuevo". ¿Ese eres tú? ¿Has dejado que el miedo a "fracasar", o al qué dirán de tu fracaso, te paralice y no tomes acción? Si este es el caso, espero que al final de este libro logre moldear tu estructura de pensamiento para que se incline a la acción y al riesgo calculado. Debemos tomar en cuenta la posibilidad del fracaso como una realidad de nuestro día a día. No es que vayamos felizmente a rompernos la cara en el piso, se trata de saber estar en situaciones de las que obtendremos crecimiento. Este crecimiento vendrá de experimentar cosas nuevas sin tener el éxito asegurado.

"No existe una definición escrita en piedra de lo que es el éxito"

Platón también nos dejó unas gemas en el camino. El propuso que "caerse no es fracaso, el fracaso viene cuando no te levantas". Si tú estas leyendo este libro, eres de los míos, y los míos no se quedan abajo. Te daremos herramientas que te prepararán para tener una mentalidad resiliente y ganadora. Una que asocie el fracaso con éxito y no los ponga en polos opuestos.

Como mencionamos anteriormente, fracasar es un verbo que implica acción. Esa acción a veces consistirá en irnos de boca y quizá hasta pelarnos los codos. Pero también, esa acción a veces resulta en victorias que creíamos inalcanzables. Por último, exploremos

¿POR QUÉ ESTÁS DONDE ESTÁS?

la percepción del éxito de Lao Tzu. El filósofo declaró que "el fracaso es la base del éxito y el medio por el cual se alcanza". ¿Ya comenzastes a crear esa base?

La pandemia nos enseñó muchas cosas, fue excelente maestro. Además de presentarnos un monstruo llamado "distanciamiento social" a quienes nunca lo habíamos vivido, también nos trajo el famoso toque de queda, los guantes, las mascarillas, en fin, nos adaptamos a una nueva realidad poco a poco. ¿Por qué traigo esto a colación? Porque la pandemia es un ejemplo perfecto en el cual las personas hicieron tremenda limonada con los cientos de limones que la vida les tiró encima. Los artistas comenzaron a hacer conciertos en línea, las personas empezaron negocios desde sus hogares satisfaciendo distintas necesidades en el momento indicado. Estos seres humanos tuvieron la percepción correcta ante la tragedia que estabamos viviendo.

La pandemia para muchos significó un momento sumamente próspero, económicamente hablando, pero otros cuentan hoy una historia diferente. Hay personas que pierden la batalla desde el inicio, porque la primera batalla que deben ganar es la batalla que acontece en la mente; y muchas veces quienes les rodean, no necesariamente son portadores de una versión alentadora de lo que para ellos representa la realidad. Los medios de comunicación se encargan de sembrar terror en las personas, y las personas se encargan de seguir implantando y esparciendo ese terror, tal y como ocurría en la pandemia. Evalúa tu círculo constantemente, que el que pasa el tiempo con gallinas, a los dos o tres días cacarea.

Hay varias cosas que debemos tener en mente cuando nos encontremos con un muro en el camino. Número uno, hay que dominar nuestras emociones, porque pocas veces traen un desenlace positivo. Así que tomando esto en consideración, ante cualquier situación pregúntate: ¿Estoy siendo emocional con esta decisión? Si identificas que sí, bájale el grado de emoción y reflexiona para que puedas tomar una decisión prudente. Número dos, tienes la opción de ver una situación como negativa, lo que significa que no estás usando la percepción y viendo la situación como una enseñanza: "¿Qué me llevo de esta situación?" Número tres, pon las cosas en una justa perspectiva, date tiempo de internalizar lo que está sucediendo y jugar con varios escenarios.

Como oficial de inteligencia en el ejército, mi trabajo en era ejercer el rol del comandante enemigo y poner en práctica los diferentes escenarios posibles en una guerra convencional. Practica tu versión de comandante y mira las diferentes situaciones, sé el oficial de inteligencia de tu vida. Por último, olvídate de las cosas que no puedes controlar, entender ese punto a muchas personas le cuesta trabajo, pero no logramos nada con precipitarnos debido a factores que están fuera de nuestro control. Si puedes resolverlo, no hay que preocuparse, y si no puedes resolverlo, tampoco.

"No logramos nada con precipitarnos debido a factores que están fuera de nuestro control"

Todo esto lo expongo desde un estado de vulnerabilidad porque he sido participe de este tipo de mentalidad. Supe vagabundear de idea en idea buscando lo que a mi entender significaba el éxito, que era el éxito definido por otros. Aunque no le hui al fracaso, tampoco buscaba mi éxito. Y es que uno va con el otro. En algún momento debemos empezar a fracasar en la dirección a nuestro éxito. Mientras más rápido nos propongamos fracasar —así como si el fracaso fuese la meta, por más loco que se escuche—, más rápido encontraremos lo que estamos buscando. Este lienzo al que le llamamos vida, tiene altas y bajas, pero sigue siendo nuestro lienzo.

CAPÍTULO 2

¿ES EL ÉXITO LINEAL?

No creo que la vida sea lineal. Pienso en ello como
círculos, círculos concéntricos que se conectan.
—Michelle Williams

Este mito existe, porque a un cabrón que no tiene nada más que hacer se lo ocurrió decir que el éxito y el esfuerzo están directamente ligados en todas las ocasiones: mientras más esfuerzo, mejores resultados, pero eso está lejos de ser real. Usualmente los seres humanos relacionamos el aporte con la producción. Aquí hay dos variables causales ligadas, entonces, si el aporte es consistente, una variable debería dar un resultado en la otra variable. Somos seres humanos emocionales, por tanto estamos diseñados para entender de manera lineal el resultado de las cosas que hacemos.

Campeón, el éxito es todo menos lineal, se comporta de manera errática, te hace cuestionar tu propósito, nubla tu juicio y vas a querer rendirte con tu meta mucho antes de que estés cerca de cumplirla. Existirán periodos que parecerán eternos, un estado inerte y catatónico con ningún progreso aparente a la vista, pero ahí precisamente es donde habita tu mayor área de oportunidad. A veces pensamos que no hay progreso, pero no nos hemos tomado la molestia de evaluar dónde estamos, y dónde estábamos hace varios meses atrás.

¿Cual es el resultado después de todos esos altibajos? Cuando el éxito toca después de todo el esfuerzo invertido y la consistencia de sobrevivir a esos altibajos, se abren las compuertas del hipódromo y sálvese quien pueda. Yo llevaba alrededor de diez años invirtiendo en la bolsa de valores en el 2021, Siempre he utilizado la bolsa de valores como una herramienta para el retiro. En Puerto Rico, invertir en acciones de una compañía no es algo cultural, no es algo que se les enseñó a nuestros padres, a menos que formaran parte de una compañía con un plan de inversión con algún tipo de aportación por el director de la empresa.

A los dieciocho años escuché a Warren Buffet decir en una entrevista que el libro que le dio su mentor para comenzar en el mundo de la bolsa fue "The Intelligent Investor", por Benjamin Graham. Automáticamente ordené el libro y no puedo explicarles el impacto que esto tuvo en mí. Aunque debo recalcar que muchas de las teorías de Graham en el libro son anticuadas, debido a que fue escrito en 1949, y los mercados, al igual que la economía, cambian. Leer el libro abrió mi mente a un amplio espectro de posibilidades. Entendí el absurdo negocio que tenían muchos de trabajar una vida entera para retirarse a los 65 años, y con suerte pellizcar algo del seguro social cuando no tengan energías ni para llevarse a la boca una piña colada.

Leer ese libro me hizo entender que había una realidad adicional a la que me contaron. Básicamente estaba en mi multiverso financiero de posibilidades que me ocultaron, y el superhéroe fue el viejito Buffet de 92 años, conocido como el "Oráculo de Omaha"; para otros, el mejor inversionista de valores en el mundo. A los 21 años yo no tenía mucho dinero para invertir, a duras penas me sobraba parte de lo que cobraba como soldado en el ejército, ya que el propósito de haberme enlistado era aportar a la compañía que mi compadre Rafael y yo habíamos fundado, y hacerlo en los términos que se acordaron desde un principio. Yo era dueño del 49 % de la corporación, así que la mitad de la carga era mía en cuanto a responsabilidad obrero-patronal y capital a disponer. Y siendo el operador del negocio de mi papá, eso simplemente no era posible. Así que levanté la mano y le dije al tío Sam "Vamos pa' encima", y me enlisté en el ejército de los Estados Unidos.

Mi primera inversión fue hecha con cero conocimiento. Para ser sincero, solo vi que había compañías que pagaban a sus inversionistas cada tres meses, otras cada seis meses, y otras que hacían un pago anual a sus inversionistas, a ese pago se le llamaba dividendo. Busqué innumerables artículos para comenzar a sumergirme en el mundo de la bolsa de valores, y encontré uno que tenía una lista de las compañías que mayor porcentaje de dividendos pagaban para aquel entonces. Así que abrí una cuenta en un broker llamado *E-Trade*, y acto seguido invertí la onerosa cantidad de $33 por acción; compré 10 acciones en total. No era mucho, pero en mi mente yo estaba destinado a ser el Warren Buffet o Carlos Slim de Puerto Rico, así que eso era un comienzo, y se sintió muy bien, porque fue algo que le dediqué tiempo y tenía la sensación que había tomado acción en la dirección correcta.

El mundo de las inversiones estaba a punto de darme la bienvenida, y pocos meses después de haber hecho mi primera inversión bursátil le falté a mi disciplina; y por una necesidad económica que tuve en aquel momento, decidí vender lo poco que había invertido. Esto tuvo un efecto adverso horrible, por que si dar un paso hacia adelante se siente bien, no imaginas el malestar que causa un retroceso. En pocas palabras, te sientes como un ratón persiguiendo un pedazo de queso que nunca se va a comer en la jornada de la vida.

Robert Kiyosaki, en su libro "Padre Rico, Padre Pobre" nos introduce a un concepto que él llama "La carrera de las ratas". Descrito de manera simple, esta carrera es la situación en la cual nos ponemos cuando decidimos aumentar nuestros gastos o deudas, a medida que nuestro salario o flujo de caja va creciendo. Esto nos impide llegar a esa libertad financiera que tanto buscamos. Eso era lo que yo estaba haciendo a los veintiún años, mi viejo interior me decía cuando yo crecía: "el que to' lo come, to lo caga", refiriéndose a que si gastaba todo el dinero que estaba generando, no tendría nada, y yo estaba destrozando mi economía con gastos inútiles. Después de poner todos mis asuntos financieros en orden, en unos seis meses volví a comenzar a hacer inversiones en la bolsa, y es una costumbre que hasta el sol de hoy prevalece.

Desde ese entonces, las inversiones se convirtieron en algo normal y rutinario para mí. Seguía la regla del 50 %, 30 % y 20 %, que consiste en dividir el salario que me sobraba después de impuestos y separar 50 % para las necesidades como la renta, el auto, utilidades y comida. Luego el 30 % para los caprichos y cosas que quería, y, por último, el 20 % en ahorros e inversiones. Mi meta siguió creciendo a una más ambiciosa, al punto que ya casi no me sobraba para los caprichos ,y casi todo ese dinero estaba siendo guardado o invertido.

UN GRAN FRACASO, UN GRAN CAMINO

En el 2017 llega a mi vida una persona que me presenta una "oportunidad" de inversión. Este tipo tenía un aspecto de vendedor de carros usados con veinte achaques; y eso debió haber sido una bandera roja desde el primer momento que abrió la boca... pero mi nefasta costumbre de darle el beneficio de la duda a gente que no conozco me pasó la factura nuevamente. La "oportunidad de negocio" se llamaba "D9", y lo que prometían era pagar una cantidad de dinero todas las semanas. Esa cantidad sería relativa al "paquete" que pagaste para entrar a la red de mercadeo, es decir, mientras más caro el paquete, más dinero cobrarías cada semana.

Ellos alegaban que eran lo que se le conocía en Estados Unidos como un "Sportsbook", basicamente una compañía que hacía apuestas en distintos deportes, y de la ganancia que hacían con el dinero que tú pagaste para comprar el paquete de entrada, ellos te pagaban ese retorno semanal. Lo sé, ahora mismo estás diciendo "José, ¿en qué andabas pensando? Eso se ve como una mala idea desde un millón de millas de distancia".

¿Sabes qué es lo peor? Que tienes toda la razón, fue una horrible idea. Tanto así que la esa red de mercadeo no duró viva dos semanas después que yo entré, así que perdí el dinero. La cantidad que usé para entrar fueron $15 000 que había tomado en un préstamo personal que solicité; y así como sal en agua, desaparecieron. Esto me desmoralizó, porque debía el dinero al banco, y porque realmente quería comenzar a construir distintas fuentes de ingreso, y D9 era ante mis ojos una herramienta para ello.

Lo que me llamó la atención, es que esta red de mercadeo no permitía que tus pagos fueran hechos con una tarjeta, y debías hacerlo mediante una moneda "digital" llamada Bitcoin. Después de haber perdido el dinero con el cual entré a la red de mercadeo, decidí tomar una decisión contraintuitiva e invertir $6000 en esta moneda virtual, ya que su tecnología me parecía sumamente fascinante. Esa decisión fue una de las mejores que he tomado en mi vida. Mi precio de entrada en Bitcoin fue de unos $1200 dólares. ¿Por qué te cuento todo esto? Porque cuando doy una mirada al futuro, de yo haberme ido en ese momento, después de la "ruina" con D9, me hubiera perdido de todas las cosas que he materializado al día de hoy. Por ello en mí siempre ha predominado la consistencia.

Después de haber invertido lo poco que me quedaba en Bitcoin, convertí en un hábito seguir invirtiendo en él mensualmente de cada cheque que entraba a mi cuenta. Esto sucedió durante unos 4 años, y en ese lapso de tiempo vi su precio subir y bajar como una montaña rusa. Yo reconocía que estaba invirtiendo en mucho más que acción de precio, estaba invirtiendo en tecnología, en algo que potencialmente revolucionaría el sistema financiero como lo conocemos. Habiendo estudiado a Warren Buffet, reconocía que su única ventaja ante todos los otros inversionistas en el mercado de la bolsa, era el tiempo. De la fortuna de $84.5 billones de dólares de Warren Buffet, $81.5 billones vinieron después de sus 65 años de edad.

Cripto representaba una oportunidad similar para mí, la oportunidad de incursionar en un mercado mucho antes que fuera adoptado por la masa. Representaba para mí la oportunidad de invertir en Facebook, Amazon o Google en el día uno, sabiendo lo que hoy sé. Dicen que la paciencia es una virtud, y este mercado venía a probar cada fibra de paciencia que habitaba en mi cuerpo, por poca que fuera. Algo así como lo que dijo Morgan Freeman en la película "Bruce Almighty" (Todopoderoso 2): "Dios no te dará paciencia, te dará la oportunidad de ser paciente", y cripto se cogió la frase a pecho porque estuve a punto de infartarme cada dos días desde que comencé a invertir.

Pasaron los años y el hábito era sumamente desconectado, muy poca educación e investigación. Básicamente cogía el dinero y lo invertía sin leer mucho. Por alguna razón que desconozco lo veía como una cuenta de retiro de muy alto riesgo, así que invertía de manera desprendida, orando por el mejor desenlace, pero listo para quedarme sembrado en el triste trabajo que tenía hasta que las vacas vuelen. Trabajaba en el Servicio Postal en aquel momento, y mis ansias de salir de aquel lugar eran grandes. Llegué a una etapa de complacencia donde el salario que me estaban dando satisfacía mis necesidades, y en mi mente eso era más que suficiente.

Pero choqué con la realidad, y era que pese a que tenía un trabajo con un sueldo estable y seguro, sentía la mayor cantidad de incertidumbre, porque mis sueños y mis metas estaban silenciosos, y eso sí es sumamente aterrador. Me sumergí tanto en mi trabajo, que el altibajo de la búsqueda del éxito era inexistente en mi vida, mis sueños habían entrado en un estado de paralización, y mis ganas de superarme necesitaban tratamiento intensivo.

Cuando llegó la pandemia en el 2020, la cuarentena trajo consigo una oportunidad peculiar. Me permitió enfocarme en el tiempo libre, y llevaba años que no les prestaba atención a las criptomonedas. Una vez que lo hice, ese verano, hubo una alta acción de precio, algunas monedas comenzaron a tener un rendimiento positivo, y esto fue suficiente como para hacer que mi curiosidad despertara nuevamente y me convirtiera en estudiante una vez más. El mundo de las finanzas descentralizadas siempre me pareció fascinante, pero nunca le dediqué el tiempo que ameritaba. De haber sido así, hubiese alcanzado la libertad financiera antes.

CUANDO EL ÉXITO LLEGA, EL RESULTADO ES DESPROPORCIONADO

Esto es lo más difícil de entender para el ser humano promedio. ¿Por qué si me estoy yendo en picada no acaba de llegar la vida que siempre he soñado? Porque no funciona de esa manera. No se si han visto el meme de las dos personas que estan excavando, y una se rinde justo antes de llegar a muchos diamantes, mientras la otra persona sigue excavando y se nota en su cara la determinación que le permite llegar a los diamantes. Precisamente así es esto, puedes rendirte, pero no sabes cuán cerca puedes estar de llegar a tu meta. Yo ya estaba cansado de mi trabajo, la complacencia se había apoderado de mí y lo único que escuchaba era una voz que me decía "estás cansado de tu realidad, pero ¿qué estás haciendo para cambiarla?".

Como si me hubiesen prendido un fósforo, estas palabras fueron suficiente para cuestionar cada onza de propósito en mi cuerpo y en buen castellano "ponerme los cojones en mi sitio", porque se me iba la vida y todavía no tomaba acción para cambiarla. Me obsesioné con el mercado de cripto, y a razón de un año ya había logrado la libertad financiera. Había cumplido una de mis metas que era renunciar al servicio postal, y dar comienzo a todos los proyectos que siempre ambicioné, pero nunca pude hacer por falta de capital. Debo confesar que esa carta de renuncia la imprimí y la tiré al tacho de basura como cinco veces antes de entregarla, porque todas las dudas e inseguridades venían a mi mente. Luego pensaba y reunía la valentía necesaria para romper las cadenas y salir de esa prisión en la que estaba.

> *"Mis sueños y mis metas estaban silenciosos, y eso sí es sumamente aterrador"*

¿Hubiese sido esto posible si colgaba los guantes por miedo? La realidad es que probablemente todavía estaría en mi antiguo trabajo, con la presión arterial en las nubes, una ansiedad increíble y pidiéndole a Dios no entrar en colapso y mandara a volar a medio mundo. En esta travesía de cripto, hasta ahora tomo decisiones en las cuales pierdo mucho dinero, pero la meta es clara y no hay ningun tipo de piedra en el camino que me haga perderla de vista.

Tropecé mil veces al cabo de los años, pensé irme muchas veces y entré en la peor etapa de complacencia de mi vida, pero el guerrero dentro de mí jamás me permitió claudicar. Encara todas y cada una de tus ambiciones, cuestiónalas, conviértete en un oficial de inteligencia y sométete tú mismo a un interrogatorio en el cual consigas la respuesta a la interrogante mayor: ¿Todas estas ambiciones son importantes para mí? Una vez que tengas esa respuesta, será más fácil accionar pese a la falta de resultados y a todas tus caídas. Es verdad que tener un "porqué" definido ya suena hasta como un cliché, pero por más que no queramos verlo o aceptarlo, nuestra razón de hacer lo que hacemos es la que al fin del día nos sostendrá y permitirá que llevemos el barco a tierra firme, sin importar la adversidad que estemos afrontando al momento.

Puede que estés estudiando por años y no aprendas absolutamente nada; y de repente, como si fuese por arte de magia, llega en un flash la información y el entendimiento a tu mente. Muchos renuncian cuando las cosas no van bien porque no pueden entender cómo la cantidad de esfuerzo que están invirtiendo en un proyecto o una meta no está repercutiendo en ese éxito que visionan. Yo soy culpable de intentar muchas cosas, y dejar de hacerlas al poco tiempo de haberlas comenzado simplemente porque no estaba viendo el resultado que yo quería en ellas. Solía decir "esta basura no sirve", y me marchaba a tratar de perseguir el nuevo sabor del mes. Quién sabe cuántas cosas hubiese logrado de haber tenido la convicción necesaria y la palabra de hacer lo que dije que iba a hacer.

Debes comenzar a ver los periodos prolongados de cero progreso, como un ingrediente necesario en tu búsqueda de éxito. Cuando comencé a crear contenido en el 2018, no mucha gente estaba prestando atención a mis videos, pero fue cuestión de tiempo para que algunas personas empezaran a concordar con algunos de mis puntos de vista, y el contenido comenzó a ser aceptado, aunque no a gran escala. No fue hasta el 2021 que mi testimonio tomó fortaleza gracias a el capital generado en el mercado de criptomonedas. Solo un podcast hecho en el canal del creador de contenido Chente Ydrach, fue necesario para que mi contenido tuviera la cantidad necesaria de ojos encima, para dar un salto cuántico y que mi contenido fuese visto por una cantidad de personas que jamás imaginé.

Si me pidieras una guía, o una clave de "¿cómo sé qué lo que estoy haciendo rendirá un resultado positivo y no estoy perdiendo mi tiempo?", te diría que en el ejército le llamamos a la estrategia "acudir al camino de menor resistencia". Usualmente, cuando intentamos hacer cosas, hay algunas que resultan en absolutamente ningún resultado, húyele a esto como el diablo le huye a la cruz, ¡al menos alguien tiene que mostrar interés por lo que estás haciendo! Porque si no existe ningún resultado, tal vez la vida te está dejando saber que tienes que llevar tus talentos a otra parte.

Debes comenzar a ver los periodos prolongados de cero progreso, como un ingrediente necesario en tu búsqueda de éxito

---

Habiendo dicho esto, ¿valdrá la pena, entonces, trabajar duro y esforzarse? Si no tiene una correlación directa, ¿para qué voy a gastar tiempo y energía en ello? Campeón, el trabajo duro y el esfuerzo abren el camino para que las oportunidades sigan cruzándose en tu camino, y la única manera en que te posicionarás para aprovecharlas es si te esfuerzas 24/7. No me gusta utilizar el término "suerte", porque en ocasiones implica que no hay ningún tipo de responsabilidad de tu parte en la ecuación; pero de esa no es la suerte que estamos hablando aquí. Esta más bien se refiere a que una vez mezclas el trabajo fuerte, esfuerzo, disciplina y convicción, la "suerte" te encuentra, y la oportunidad llega a tu puerta.

OLVIDA EL DICCIONARIO

De pequeño, mi padre tenía sus reservas con el término "joseador". Cada vez que decía la palabra, se notaba el repudio en su rostro, lo decía con un coraje inmenso. Yo me atrevo a decir que en todo barrio, con muy poco esfuerzo, todos al hacer memoria recordaremos a ese personaje. El "truquero", como le decimos en Puerto Rico, el tipo que vende gato por liebre, te vende un carro que funciona y se desaparece para que no haya rastros de él. Puesto de manera simple, el término "joseador" tenía una connotación negativa, porque el sujeto buscaba beneficiarse de manera ilícita, o simple y sencillamente coger de tonto al que así lo permitiera.

Es por esta razón, que ese término en mi casa no era bien visto, porque hasta cierto punto esa era la definición que la palabra "joseador" tenía en el diccionario. Al pasar el tiempo, fui viendo que en las canciones de mis raperos americanos favoritos, la palabra "hustle" tenía dos significados distintos. Ellos utilizaban el término para referirse al que traficaba drogas, pero también utilizaban el término para describir a la persona que hacía el todo lo que sea por buscarse los recursos y traer la comida a la mesa. Me identifiqué con la última definición del término, y a bien temprana edad decidí convertirlo en mi código de conducta, en un estilo de vida.

Tenía un amigo que conocí en tercer grado llamado Benjamín Rivera (Bengie), él nació con focomelia. Esta condición de salud hace que en el periodo de gestación de un feto exista la ausencia de músculos y huesos en las extremidades inferiores o superiores. En el caso de Benjamin, nació sin antebrazo y manos. Algo que en aquel momento no entendí, es que Bengie ha sido una de mis inspiraciones cuando hablamos de un ser humano que da su máximo esfuerzo. Al no tener sus manos, Bengie escribía con sus pies, y esto llamaba la atención de todos los niños a la hora del recreo. Bengie se dió cuenta de esto, y como si estuviesemos hablando de la ofrenda o el diezmo en una iglesia, el muy astuto requería que cualquier niño que quisiera presenciar su majestuosa labor de escritura, pague cincuenta centavos para poder verlo. Su ingenio era tal, que, en efecto, los niños pagaban por verlo escribir con los pies. Cuando lo analizo hoy, es verdaderamente inspirador lo que Benjamin identificó a bien temprana edad.

La primera vez que intercambié algo tangible por dinero, arranqué unas flores que tenía un vecino llamado Carlos en su jardín, toqué su puerta y le dije que era San Valentín, y que si aún no se había dado la tarea de comprar algo para su esposa, yo le vendía las flores que tenía en mis manos. Carlos no era ningún tonto, y de seguro identificó al instante que tras que le eché a perder el jardín, estaba tratando de venderle sus propias flores. No obstante, la reacción de Carlos no fue reprenderme ni decirles a mis padres lo que había hecho, más bien tomó la ruta de la comprensión y le pareció gracioso. Acto seguido buscó algunas monedas que había en su cartera y me compró sus propias flores con una carcajada.

Desde ese momento mi vida cambió para siempre, porque entendí que podía intercambiar algo tangible por dinero. Como si hablaramos del amor a primera vista, inmediatamente me enamoré de ese proceso. Por ahí continúa la vuelta, porque nunca paré de vender o intercambiar cosas; y mis padres no entendían por qué razón mis videojuegos desaparecían. La razón era simple, me amanecía jugando para pasar todos los niveles y luego los intercambiaba o los vendía. Yo con dos o tres dólares en el bolsillo era feliz, porque eran lo suficiente como para comprar los dulces que quería. A esa edad, esa era mi única preocupación, ¡qué tiempos aquellos!

Me di la tarea de buscar en el diccionario la palabra "joseo", y sorprendentemente, en países como Cuba y Venezuela, el término "joseo" se refiere a un jugador de béisbol cuyo esfuerzo repercutió en la victoria de su equipo. En términos simples, el "joseador" es ese que estuvo dispuesto a esforzarse más que el resto para conseguir un resultado mayor al de los demás.

En inglés, el término "hustle" está definido en el diccionario como "trabajar rápido o de manera energética". Entonces, podemos ver que aunque estas palabras estén definidas en un diccionario, las personas al pasar el tiempo les dan significados distintos a las palabras, esté el significado en el diccionario o no. ¿Por qué tenemos que aceptar solo una de las definiciones del diccionario? ¿Por qué no podemos redefinir un término que llevamos escuchando toda una vida y llevarlo a que represente algo distinto en nuestras vidas?

Winston Churchill decía que el éxito consistía en ir de fracaso en fracaso sin perder el entusiasmo. Ciertamente suena como una definición alterna a lo que conocemos como éxito. ¿Qué definición le estás dando tú al término? ¿Eres de los que pierde, o te caes una sola vez, y el primer pensamiento que viene a tu mente es que lo que estás haciendo no es para ti? ¿Te aterra pensar que al intentar algo pueda salirte mal? Si la respuesta es "sí" a cualquiera de esas últimas dos preguntas, permíteme decirte que tenemos trabajo por hacer, y todo comienza con erradicar por completo la visión que tienes del fracaso.

Existen diccionarios de diferentes tipos: de sinónimos, antónimos, de términos literarios, de conceptos. Hay algunos de etimología, de idiomas o enciclopédicos. Lo más curioso de esto es que cada uno de estos diccionarios pueden brindarnos una definición completamente diferente de una misma palabra. Incluso voy más allá: en el mismo tipo de diccionario, podemos buscar el mismo término, y darnos con la sorpresa de que tiene un significado totalmente diferente. Entonces, siendo esta la situación, cuando hablamos del término "fracaso", ¿por qué debemos darle algun tipo de importancia a lo que dice el diccionario? ¿No será una mejor opción que le cambiemos el significado al término? Pienso que si ni siquiera los diccionarios pueden decidirse en lo que significa un término, y todos tienen sus versiones y definiciones, debemos tomar riendas de lo que vamos a permitirle procesar a nuestro cerebro como definición para la palabra "fracaso".

LA INFLUENCIA DEL LENGUAJE

En el libro "The Code Of The Extraordinary Mind", el autor, Vishen Lakhiani, habla de cuánto las palabras y el lenguaje pueden moldear nuestros pensamientos. Vishen comparte los resultados de un estudio que hablaba sobre la existencia del color azul en la cultura antigua. Se expone en el estudio que en la cultura antigua no existía una palabra para el color azul en varios idiomas, básicamente no había ninguna referencia textual o visual de lo que era el color azul, es decir, no se podía describir.

"Winston Churchill decía que el éxito consistía en ir de fracaso en fracaso sin perder el entusiasmo"

Hicieron el estudio con una tribu llamada Himba, en Namibia, quienes tenían varias palabras para el color verde, pero nada para el color azul. Con la tribu hicieron un ejercicio de mostrarle varios cuadrados, todos estaban pintados de color verde en distintos tonos, con la excepción de un solo cuadrado que estaba pintado de color azul. La instrucción que recibieron los integrantes de la tribu era que descifraran cuál de los cuadrados tenía un color distinto. Como si estuviésemos hablando de una persona que no puede ver, ninguno de los integrantes de la tribu logró identificar el cuadrado de color azul. ¿Será posible que debido a que no sabían el nombre del color, no pueden tan siquiera reconocer su diferencia?

Así de impactante puede ser la influencia del lenguaje en nosotros, puede moldear nuestros pensamientos y adueñarse de la manera en que vemos la vida. Claro está, en esta situación no estamos hablando de cuadrados de colores, pero sí del impacto que tienen las palabras que utilizamos. Muchos de los constructos que hoy conocemos fueron impuestos ante nosotros, ya sea por la sociedad, nuestros padres o nuestros amigos. El detalle es que no los cuestionamos a menudo, tal y como un niño cuando tiene una pregunta o cuestiona el "por qué" de algo en específico la primera reacción de los padres es decirle "porque yo lo digo". Ese niño está creciendo pensando que no puede cuestionar, se le está limitando su capacidad de pensar a gran escala.

"Hazte todas las preguntas que puedas,
porque una vez que cuestionas,
tu mente se sigue expandiendo"

Ese debe ser uno de los procesos más importantes en la búsqueda de la redefinición de este término: acude al cuestionamiento. Hazte todas las preguntas que puedas, porque una vez que cuestionas, tu mente se sigue expandiendo y explorando nuevos horizontes. Una de las razones por las cuales rechazamos la idea de fracasar constantemente, es porque —para ser sincero— los seres humanos somos vagos con cojones por naturaleza.

Supongamos que decides rebajar esos dos o tres kilos que están demás para estar en forma, pero tienes en tu casa a alguien dulcero, ya sea tu esposa, esposo o hijos, que compran sus dos o tres golosinas cuando sienten la urgencia de satisfacer su deseo de comer algo dulce. Hay un solo problema: que a ti también te gustan las cosas dulces y no puedes botar eso porque, para empezar, costó dinero; y, segundo, botarle ese antojo a tu pareja sería como decir "Satanás desata toda tu furia sobre mí", y eso no va a suceder. Así que decides ubicar ese antojo lo más lejos posible de ti, ya que la única manera de evitar que cedas, es hacer que te cueste trabajo obtenerlo.

Yo puse algo similar en práctica cuando me di cuenta de que estaba pasando demasiado tiempo mirando mi dispositivo móvil. Contrario a lo que aconsejo, soy una persona que no le hace bien ir saliendo gradualmente de una costumbre, tiene que ser un cambio abrupto para poder acatarlo con facilidad. Así que al darme cuenta de la cantidad absurda de tiempo que estaba perdiendo todos los días, y que lo primero que hacía al levantarme era ver mi teléfono, decidí conectarlo a su cargador en las noches fuera de mi cuarto, y lo único que encontraba cerca de mí al despertar, eran mis libros y mi diario. Así seguí, hasta que ya no me hacía falta poner mi celular a cargar lejos, porque me acostumbré a no verlo rápido apenas me levantaba.

El ser humano es perezoso por naturaleza, por eso, lo que nos pesa del fracaso es lo que viene después: comenzar de cero. ¿Cuál es la definición que le darás al fracaso para cambiar tu visión? En este momento quiero que busques un papel y escribas la palabra "fracaso", busca al menos cinco palabras que tengan que ver con progreso. Acto seguido quiero que formules tu propia definición. Esta definición es la que llevará el fracaso para ti por el resto de tus días. Quiero que la leas al menos dos veces en la semana, y que cuando pienses desmayar, busques tu definición de fracaso para refrescar tu memoria.

PARTE 2

EL ENTENDIMIENTO

Una de las cosas más frustrantes para mí, es no entender cuando algo está pasando y por qué está pasando. "Porque sí" es la respuesta que más me enojaba cuando era pequeño y lo sigue siendo. Cuando escucho a personas en mercados financieros hablar del gráfico como si simplemente fueran lineas de tendencia a las que se reacciona, un "lenguaje" y no hubiese una razón detrás de los altos y los bajos en un mercado, me incomoda. Todo reacciona en base a algo, las cosas siempre son provocadas por algo en específico, siempre hay una razón de ser. Tenemos que entendernos, conocernos, saber por qué reaccionamos a ciertas cosas y por qué otras nos dan igual.

CAPÍTULO 3

CEDER O ABRIRNOS CAMINO

*Si sueñas con ganarme, será mejor
que despiertes y pidas perdón.*

—MUHAMMAD ALI

Cuando cumplí 16 años, ya tenía experiencia manejando un vehículo. Desde que tengo unos 9 años mi papá comenzó con su negocio de máquinas "vendomáticas" de refrescos y snacks. Mi trabajo *part-time* era ser su ayudante, por lo cual recibí un oneroso sueldo de 10 dólares cada vez que iba a trabajar con él. Para un niño de 9 años esta cantidad de dinero parecía una fortuna, y daba para mis necesidades esenciales, como por ejemplo comprarme el videojuego que me daba la gana, y guardar para comprar dulces en "El Cubanito" o "Los Picapiedras", ambas tiendas de las comunidades en las cuales crecí.

Desde temprana edad mi papá quiso enseñarme a manejar, y desde los 14 años empecé a manejar con su supervisión. Ya a los 16 años yo manejaba una furgoneta, o step van, que tenía mi viejo, básicamente es un vehículo que tiene frente de van, y la parte de atrás como un camión. Ahí pasé por la misma experiencia al conducir que pasa cada adolescente latino acompañado de su padre. Creo que mi papá tiene el Récord Guinness de la mayor cantidad de palabras soeces y preinfartos al enseñar un adolescente a conducir en la historia. Al fin y al cabo aprendí a manejar muy bien, y eso me preparó, ya que tres años después estaría tomando las riendas de su negocio por completo.

Todos hemos estado en esa posición después de años o meses de experiencia en las carreteras de nuestros países. Te encuentras en una intersección detrás de un vehículo, y la persona delante de ti parece que está esperando que por obra divina, un alma noble se digne a darle paso a la vía principal. Mientras esa persona espera que eso suceda, le cede el paso a todo el mundo, y atrás estás tú, hirviendo. Tu cara se está desmantelando poco a poco, y tu presión sanguínea está por las nubes, como si te hubieses comido dos Big Macs, un Cuarto de Libra con dos órdenes de papas fritas y un sundae de caramelo y maní. Agarras el volante del vehiculo como si fueras a exprimir jugo de una naranja y gritas "¿Qué carajo esperas?".

LAS OPORTUNIDADES NO DEJAN DE LLEGAR

La frustración se ha apoderado de todos nosotros en algún momento por algo parecido a esto, pero en el ejemplo podemos ver dos seres humanos que ven las cosas de manera distinta. Uno está buscando la oportunidad a toda costa, y se desespera ante la falta de acción de otros seres humanos. El otro, espera pacientemente porque la oportunidad se presente, pero puede que en el proceso haya dejado muchas oportunidades pasar. Desde mi punto de vista, las oportunidades nunca se pierden, siempre habrá alguien por ahí para tomarlas ya que otro la desaprovechó. Aquí es donde viene la pregunta existencial de este capítulo: ¿tú cedes el paso o buscas el paso? ¿Eres el que aguarda a que las condiciones sean perfectas para tomar acción? ¿O eres el que busca la manera de tomar acción a toda costa?

El cementerio está lleno de personas que por temor, el qué dirán, dudas y perfeccionismo, dejaron de tomar acción con sus sueños y murieron haciendo algo que quizá nunca los llenó. La procrastinación es un monstruo, y el problema mayor que veo es que fallamos en cuestionar la razón principal por la cual estamos procrastinando. Los seres humanos lo hacemos por perfeccionistas, porque nos sentimos abrumados, porque desconocemos el desenlace de algo, porque tememos que la opinión de nuestros allegados o familiares sea adversa; también procrastinamos por distracción, o por baja autoestima, como el síndrome del impostor, por ejemplo (cuando eres incapaz de aceptar lo que mereces por el fruto de tu trabajo).

Pero no hacemos nada con solo identificar nuestros motivos para procrastinar, lo que debemos hacer es tomar acción para corregirlo. La razón por la cual traigo esto a colación es porque muchas veces yo fui el tipo que cedía el paso. No estoy criticando a los seres humanos que son quirúrgicos en su proceso de ejecución, porque tengo más que claro que si queremos que algo nos salga bien, tenemos que ser meticulosos con el desempeño; pero hay una linea demasiado fina entre eso y que dejemos pasar todas las oportunidades por una cosa u otra.

Yo pensaba que enfrentando mis temores en algún momento desaparecerían, pero la realidad es que mis temores siguen ahí. Tus miedos nunca desaparecerán por completo, pero la valentía aumentará poco a poco si así te lo propones. Me encanta visitar nuevos países, ver culturas distintas y probar comida diferente, pero odio el proceso para irme de viaje. Detesto el aeropuerto, detesto empacar, detesto la planificación del mismo y también detesto el vuelo. Ya los escucho: "Hey, ¿acaso te gusta algo del viaje?". La realidad es que cuando llego al lugar todo eso se me olvida. Los aviones siempre me han dado temor, pero es parte del viaje. En este caso aprendí que soy una persona que razona mucho y toma las estadísticas en consideración.

Habiendo dicho esto, las estadísticas establecen que las probabilidades de fallecer en un accidente de auto mientras conduces, son de 1 en 112, mientras que las probabilidades de fallecer en un accidente aéreo son de 1 en 9821; sin embargo no titubeamos a la hora de montarnos en un vehículo todos los días, pero sí nos da temor subir a un avión. Esta ha sido mi manera de adquirir valentía para algunas cosas a las cuales le temo: analizar estadísticas. Y no hay que irse al detalle, ya que te aseguro que cualquier precio a pagar por tomar acción para lograr tus metas será menor que pagar el precio del arrepentimiento y la incertidumbre.

Tus miedos nunca desaparecerán por completo, pero la valentía aumentará poco a poco si así te lo propones

---

Todos en algún momento hemos dicho "empiezo a ir al gimnasio el lunes", y pasan 37 lunes que te matas con la misma bala porque no existen esas ganas de accionar. La dejadez se ha apoderado de tu vida y ya has formulado 30 excusas por las cuales no has podido comenzar con la meta que tú mismo estableciste. Cada día que dices que harás algo, y no lo haces, te defraudas a ti mismo. ¿Seguirás cediendo el paso, o tomarás de una buena vez una decisión consciente para desechar la mediocridad que te caracteriza?

Con el pasar de los años, he aprendido a identificarme como un "fracasador" profesional. Alguien que vive tranquilo y cómodo sabiendo que así como nada nos salvará de la muerte, nada nos salva de tener fracasos y caídas cuando estamos buscando emprender en cualquier camino. A mí no me importa si no quieres ser empresario o emprendedor; es más, yo argumentaría que vivo encojonado con la gente que trata de empujar la narrativa de que todo el mundo tiene que ser emprendedor, porque no creo en eso. Hay gente que simple y sencillamente no tiene el talento y las agallas para asumir todas las cargas que conlleva ser emprendedor, le gusta la parte linda, lo que la mayoría ha pintado como glamoroso dentro del emprendimiento.

Las casas, los carros y el billete es chévere, pero nadie te cuenta que solo el 25 % de los negocios nuevos pasan de los 15 años en operaciones, 65 % de los nuevos negocios fracasan durante sus primeros 10 años. Tampoco te hablan de todas las horas que hay que invertir en un negocio, y que cuando estas son cuantificadas, muy probablemente ganes hasta menos que algunos de tus empleados por hora, ya que tú trabajas 20 horas y ellos solo trabajan de 8 a 12. Para un emprendedor no existen días festivos ni mentalidad de alguien que marca una tarjeta todos los días, no existe una frase como "que lo resuelva el de atrás", porque tú eres el de atrás, el de al lado y el del frente. Si te sientes bien siendo empleado, si te sientes lleno, eso está perfectamente bien, ya que al fin del día esa debe ser la meta de todo el mundo, sentirse pleno y realizado. El detalle es que aunque decidas ser empleado, inevitablemente, y pese a años de capacitación y experiencia, si tu meta es seguir escalando peldaños en tu empresa te caerás en el proceso. Tu trabajo es no permitir que las caídas te definan, no le des el poder de destruirte bajo ninguna circunstancia.

ES LA REGLA: SI CAES, TE VUELVES A LEVANTAR

Cuando comencé a entrenar para convertirme en un oficial comisionado para el ejército de los Estados Unidos, entré al programa ROTC (Reserve Officer Training Corps). El ROTC es un programa diseñado para capacitar soldados y convertirlos en oficiales del ejército mientras cursan su grado de bachillerato o maestría. En este programa varias destrezas son puestas a prueba, entre ellas las operaciones tácticas, el entrenamiento físico, la natación y la navegación terrestre. Cuando comencé a estudiar navegación terrestre no sabía nada en absoluto. Utilizar un compás me resultaba complejo y entender las coordenadas en el mapa me parecía aún más complejo. Estuve meses fracasando todas y cada una de las pruebas de navegación terrestre que me hicieron; y en algún momento me frustré, y hasta pensé abandonar el programa.

Un buen amigo se dio la tarea de enseñarme a leer el mapa, utilizar mis herramientas e identificar puntos específicos en el mapa mediante asociación del terreno. Como por arte de magia todas las piezas comenzaron a caer en su sitio, y de querer abandonar el programa, me convertí en oficial comisionado del ejército de los Estados Unidos en dos años. Fracasé una y otra vez durante mi carrera militar, pero nunca permití que esos fracasos moldearan de manera negativa la forma que pensaba. Poco a poco mis caídas me enseñaban cuál era la ruta correcta y cuál era la ruta que debía evadir, no importa cual fuese la circunstancia.

Cuando tuve mi hijo a la edad de 25 años, el proceso de sus primeros meses fue verdaderamente fascinante, pero como algunos padres pueden identificarse, yo no tenía la menor idea de lo que estaba haciendo. Mi hijo dio sus primeros pasos y yo sentía la urgencia de cubrir cualquier superficie con la cual él pudiese hacerse daño. Poco a poco mi hijo fue dándome una lección, y es que él no había llegado a este mundo para tenerle miedo a todo, su voluntad era de acero. Llegó el punto que cada vez que se caía, yo no iba por él a socorrerlo, más bien supervisaba que todo estuviese en orden y con una mirada el chamaquito sabía que el mensaje era que se parara del piso y siguiera intentando caminar. Continuaba con su misión de dominar esos primeros pasos como si tratara de algo intuitivo, y no le hacía falta dirección ni instrucción para entender que aunque hubiese caído en su intento de caminar, tenía que levantarse y volver a intentarlo.

"Tu trabajo es no permitir que las caídas te definan, no le des el poder de destruirte bajo ninguna circunstancia"

El ser humano teme a intentar las cosas una vez que el resultado que obtiene es adverso. Otros tienen la mentalidad de pensar, contrario a la mentalidad de actuar, entran en un estado de parálisis por análisis, pero nunca arrancan. Son los maestros planificadores, ya tienen todos los pros y los contras, ya han descifrado todas las cosas que pueden salir mal. Estos son los mismos individuos que aparentan saber todo sobre un negocio, pero no tienen ni pizca de experiencia en el campo para poder sustentar que toda la teoría que tienen en el cerebro funciona. Mi intención con este libro no es que salgas de aquí pensando que tienes que leer este libro tres veces al año para que encuentres "el cambio" en tu vida; mi intención es que después de haberlo leído, hayas captado el mensaje alto y claro para que comiences a ejecutar estos principios en las primeras 24 horas de haber terminado de leerlo.

En mi lista de prioridades tiene mucho peso un plan, una brújula que nos ayude a trazar el camino, pero bajo ninguna circunstancia nos quedamos en el plan, la acción es la parte más importante después del plan. Te dejo con varias preguntas para que puedas decifrar si llevas una vida entera buscando o cediendo el paso.

¿Tienes veinte notas en tu teléfono móvil de las cosas que quieres hacer y no has hecho ninguna?

- ¿A toda oportunidad le buscas mil maneras en las que puedes fracasar, pero ni por equivocación te pasa por la mente una manera en la cual puedes salir airoso?
- ¿Cuestionas la opinión que tendrá hasta la vecina chismosa, pero no te has cuestionado qué rayos te importa si al final del día a ti es quien te hará feliz lo que haces?
- ¿Te gusta disfrazarte de exitoso y compras veinte cursos, mil libros, compartes una frase

supermotivadora todos los días, pero no pones absolutamente nada en práctica?
- ¿Eres adverso al riesgo?
- ¿Te da pánico la incertidumbre?

Si la respuesta a una de esas preguntas es "sí", puede que lleves mucho tiempo cediendo el paso, es hora de abrir camino y empezar a trabajar con esos verdugos que están asesinando tus sueños.

UNA VIDA POR EL RETROVISOR

Criarse en el barrio no es tarea fácil. En Puerto Rico criarse en un barrio o en un caserío viene siendo el ejemplo perfecto de un entorno en el cual debe tener el cuero duro para sobrevivir. Al grupo de amistades con los cuales creces y te relacionas mientras vas creciendo, le llamamos "corillo". En ese corillo siempre hay una persona que lastimosamente es la burla del grupo, y esto se puede dar por muchas razones, desde no ser el tipo mejor parecido, hasta ser torpe al hacer las cosas. A ese individuo le dicen "la cherry" del grupo. Si adivinaste bien, sabrás que durante todo mi crecimiento la *cherry* fui yo. Las bromas iban de todos lados: no ser el tipo mejor parecido, ser el feíto del grupo, el torpe que si algo podía salir mal, iba a salir mal; y ser un pésimo compañero, no importa cual fuera el deporte que nos decidíamos por jugar. Yo era pésimo en los deportes, no lograba la consistencia en ninguno para poder ser bueno en alguno eventualmente. El rango de bromas que podían hacerme, o chistes de mal gusto para destruír mi moral, era una gama extensa, pero encontraba la manera de buscar lo gracioso y reírme de mí mismo.

"En mi lista de prioridades tiene mucho peso un plan, una brújula que nos ayude a trazar el camino"

A bien temprana edad comencé a descubrir que si era inmune a los chistes que hacían sobre mí, y no me afectaban, no seguían jodiéndome con lo mismo, eventualmente me dejaban ir y escogían a su próxima víctima. Crecer en este entorno me ayudó, porque mi filosofía de ser "injodible" ha sido la más fructífera a la hora de hacer contenido para las redes sociales. Todo el mundo tiene una opinión, y hoy día vivimos en un mundo carente de mucho entendimiento, en el cual si discrepas de la opinión de alguien no puedes hacerlo en armonía. Los seres humanos sienten la necesidad de desacreditar el carácter del otro en lugar de debatir la idea o el argumento. Si me pongo a discutir con todo el que discrepe de mí y me ataque personalmente, me vuelvo loco, porque ese sería el pan nuestro de cada día.

Aunque no me di cuenta desde el inicio, mi niño interior cargaba muchas inseguridades que también fueron forjadas durante mi crianza en estos "vacilones en corillo". Aunque no demostrar que me afectaban era el cometido, y hasta cierto punto podemos decir que se logró, muchas de las cosas que me dijeron, en el fondo me afectaron. Me creí muchas de las cosas que me dijeron, incluso hasta hoy tengo que darme cuenta que estoy actuando de cierta manera, y reconocer que son esas inseguridades forjadas en el pasado las que me están haciendo actuar así. Al reconocerlo vuelvo a tener el control, ya que nunca permitiré que una inseguridad gane la batalla. Como yo era el feo del grupo, hasta casi los 27 años fui un tipo que le aterrorizaba entablar una conversación con una dama. Era más que evidente que a quien estaba mirando al espejo, no era al niño que lo rechazaban por raro, pero la verdad es que cuando yo me miraba al espejo, eso es lo que seguía viendo.

Se me hacía muy difícil entender que ya había cambiado, y que esas inseguridades eran producto de lo que viví en el pasado. Cuestionaba todo, desde la manera que vestía, hasta mi manera de conversar, y lentamente el síndrome del impostor me hacía trizas la mente antes de llegar a una cita. ¿Por qué ella va a querer hablar con un torpe como yo? ¿Qué tengo para ofrecerle a una chica tan hermosa?

Por ahí seguían las mil interrogantes, pero al final del día no era mi voz la que estaba escuchando, fue otra voz la que poco a poco fue haciéndome volver a la normalidad. Esa voz me decía "¿no te has mirado al espejo? ¿No has visto lo entretenida que estoy al tener una conversación contigo?". Y aunque no necesitaba la validación de nadie para entenderlo, eso fue suficiente para que comenzara a ganar esa confianza en mí que no tuve por muchos años. Hoy por hoy soy un tipo superseguro de mí, pero eso no llegó de la noche a la mañana, ni mucho menos me levanté habiendo superado todas esas inseguridades. Fue un maratón, no una breve y veloz carrera de cien metros.

DÉJALO IR

Nos aterra lo que desconocemos, y después de un fracaso, lo más difícil es volverlo a intentar. Es como si le pusieras la mano a un perro para que te oliera y el perro te mordiera. Volver a hacerlo puede que te cause temor, y eso es completamente normal. Existe un problema silente de salud mental conocido como la rumia. El impacto de la rumia es subestimado, pero es algo que sumándose a cualquier otro padecimiento de salud mental, puede ser un agravante. Puesto en términos simples, la rumia es pensar demasiado u obsesionarse con situaciones o sucesos, muchos de ellos vienen a raíz de cosas que pasaste en otro momento. Lo peor de esto es que esos pensamientos que vienen a la mente, nos cohíben de tomar acción, y entramos en el dilema que discutimos en el capítulo anterior; y mediante la parálisis por análisis, ceden el camino.

La rumia puede tener un efecto positivo y es cuando a causa del análisis recibes respuestas y paz mental; pero si a causa de la rumia te quedas en la nada y no tomas acción, es como volver a ver a una película sin desenlace, y allí no vas por el camino correcto. Si eres una persona que piensa sobre todas las cosas y no tomas acción en ninguna de ellas, te dejaré con varios consejos que podemos analizar para trabajar con ese hábito negativo de vivir en el pasado.

1. Suéltalo con todo

Puede sonar trivial, pero ¿has analizado la posibilidad de decir "¡desde hoy no me jodes más!". Campeón, hay cosas que sucedieron hace quince años y seguimos permitiendo que nos afecten. Un ejemplo clave es el niño que te robó el turno en la fila del comedor escolar en quinto grado y todavía sigues teniéndole mala voluntad, él ya tiene tres hijos, vive en otro país, no sabe nada de ti, y al día de hoy todavía no lo soportas. El ejemplo es una exageración, pero hay un punto que quiero hacerte entender, y es que si te pasó hace mucho tiempo ya déjalo ir de una buena vez y por todas. Si cometiste un error, aprende a entender que eres humano, y que los errores seguirán llegando. Si cometieron un error contigo entiende lo mismo, muchas veces tomamos las cosas demasiado personal y eso es lo que nos afecta a largo plazo. Toma esto como una guía: si te pasó hace más de cinco años probablemente ya no debes estar prestando ese nivel de atención a lo sucedido, ya es hora de dejarlo ir.

2. ¿Vale la pena?

He aquí la interrogante más importante de todas. ¿Vale la pena que esto se convierta en una de mis razones para no tomar acción? En ocasiones tenemos una fijación con factores que están totalmente fuera de nuestro control. Puede que ahora mismo estés pensando que todas estas cosas que estoy diciendo son más fáciles cuando las dices que cuando las haces, y quiero decirte que tienes razón, pero nunca llegarás a tener esta mentalidad si no comienzas a ponerla en práctica. Aprende a dejar que se vayan los factores que no controlas. Si ya te encuentras cuestionando un hecho de tu pasado, pregúntate si al pensar en este hecho encontrarás paz, las respuestas que buscabas y las lecciones que necesitas para que así puedas continuar con tu jornada. Si la respuesta a esas preguntas es no, debes ignorar ese hecho y caminar. No sigas revolcándote en esa basura.

"Aprende a dejar que se vayan los factores que no controlas"

---

3. Busca distraerte

Para un paciente de déficit de atención como yo, esto es pan comido, porque me distraigo hasta cuando no estoy intentando distraerme. Yo soy rápido para aprender y prestar atención a las cosas que me interesan, pero cuando no es así me cuesta demasiado trabajo. Habiendo dicho esto, no estoy hablando de que te distraigas con estupideces, ni deslizando el dedo incansablemente y sin sentido en tus redes sociales, porque en un abrir y cerrar de ojos se te habrá ido un día entero sin haber hecho nada productivo. Me refiero a que debes comenzar ya con ese proyecto que llevas tiempo echando a un lado. Comienza de una buena vez y matarás dos pájaros de un tiro, habrás comenzado con tu proyecto de vida y encontrarás la solución al problema de la rumia. Una vez me di cuenta que mantenerme ocupado era mi cura para el mal de amores.

Después de eso, nunca volví a prestar tanta atención a un desamor en mi vida.

4. Medita a diario

Una de las razones por las cuales pasamos demasiado tiempo durante nuestro diario pensando en esos sucesos del pasado que nos impiden accionar, es porque no le dedicamos tiempo. La gran mayoría de estos pensamientos llegan porque se quedaron flotando en nuestro subconsciente y nunca los hemos enfrentado. Desde que comencé a meditar, mi vida cambió por completo. Empecé a dedicarle tiempo a las cosas que me estaban molestando en mi interior, a cuestionarlas, a afrontarlas, y poco a poco ese ejercicio diario me enseñó a soltarlas.

Vishen Lakhiani, CEO de Mindvalley creó "The 6 Phase Guided Meditation", una meditación que le da énfasis a varias características que debemos mantener en continua elevación. De esas características, hay dos que quiero resaltar: el perdón y la paz. El perdón no solo se pone en práctica cuando otras personas actúan de manera errónea con nosotros. Muchos de los que están leyendo este libro no se han perdonado aún. No se han perdonado por errores y malas decisiones que han tomado en el pasado, no se han perdonado por mal juicio, entre otras cosas. Si te sigues juzgando y desconfiando de ti por un error que cometiste en el pasado, es hora de que te perdones y sigas adelante. En tu meditación, dedícale tiempo a todas esas cosas que te aterran de tu pasado para que no aparezcan flotando en tu cabeza durante el día.

5. Deja la negatividad

Ya está bueno de andar con una nube negra, entendimos que todas las situaciones u oportunidades van a tener factores positivos y negativos. Esto tampoco es un llamado a que seas el personaje del positivismo tóxico, que así se esté cayendo por un barranco está en total negación de lo que está aconteciendo. En ocasiones solo nos enfocamos en los factores negativos que traen las situaciones del pasado, pero detente y pregunta si acaso algo positivo no le sacaste a esa experiencia.

Hay situaciones en las cuales estoy totalmente de acuerdo en que no hay nada positivo, como por ejemplo un accidente automovilístico. No existe nada positivo en ese escenario, pero probablemente existe algo positivo en las acciones que se toman después de un acontecimiento inoportuno. El punto es que no dirijas tu enfoque solo a los factores negativos en ese acontecimiento pasado, para luego utilizarllo como excusa para la inacción.

6. ¿Qué lo está causando?

Puede que exista algo que esté provocando la rumia. Cuando voy a dar una presentación, tengo que ensayarla por completo al menos tres veces el mismo día de la presentación. Si esto no sucede, me da extrema ansiedad, y la ansiedad luego se convierte en que mi mente automáticamente active todos los factores que pueden ir mal, y la Ley de Murphy venga a hacer lo que le da la gana conmigo (sí, esa que dice "si algo puede salir mal, saldrá mal"). Ya he determinado que esto, al igual que sentarme en un restaurant dándole la espalda a una puerta, son cosas que me ponen ansioso, y ya tengo cómo solucionarlas. Determina si existe algún factor específico que esté provocándolo, así tendrás herramientas para mitigarlo.

7. Piensa en lo peor

Aunque suene medio loco, pensar en lo peor que puede pasar te daría las respuestas de cómo reaccionar en el caso de que eso suceda. Básicamente, ese pensamiento de lo peor que pueda pasar y su potencial solución te daría paz mental en el proceso. Yo prefiero sorprenderme con un desenlace positivo, que perjudicarme con un resultado adverso y que no tenga las respuestas.

8. Habla con alguien

La perspectiva que nos falta, en muchas ocasiones la tiene alguien en nuestro núcleo. Cuéntale a alguien qué es lo que te está privando de accionar. Un problema hablado es un problema dividido. A veces no queremos contárselo a nadie, y para esas ocasiones, aunque no se reciba perspectiva de vuelta, una libreta ha sido mi arma secreta, y mínimo nos sacamos la precupación del pecho. Este hábito ha sido otro que cambió mi vida: para mí es religión escribir en mi diario en cuanto me levanto, él es mi confidente y también es quien me mantiene firme en mis metas. Me recuerda qué estoy haciendo y qué me falta por hacer. Busca tu confidente y sácate toda esa basura del pecho que te agobia.

CAPÍTULO 4

NADIE PODRÁ CONTAR TU HISTORIA MEJOR QUE TÚ

Para escribir un gran libro, primero debes convertirte en el libro.

—NAVAL RAVIKANT

Sería imposible que tuvieses una historia que contar si no fuese por tu pasado y trasfondo. Utiliza esas vivencias como gasolina, entiende que poco a poco vas creando un testimonio y qué sería de ese testimonio si no tienes una historia que contar. Visualiza tu vida como un libro, cada año que pasa es un nuevo capítulo. Como en los libros, en cada capítulo llegan nuevos personajes y eventos que dan sentido a la historia. Algunos de estos eventos son adversos para darle chispa a la historia. Estos sucesos y personajes tienen un propósito, y es ayudar al desarrollo del protagonista, que en este caso vienes siendo tú.

Despégate un poco del panorama y analiza, ¿cuál es ese capítulo al cual le estás dando toda esta energía?

¿Cuantos capítulos se han escrito después de este y cuantos se escribieron antes del mismo? ¿Cuántos años han pasado y sigues estancándote en el mismo capítulo, esperando que el desenlace sea uno distinto? Debes seguir escribiendo tu historia, ya que tienes el poder de cambiar el final como desees, pero nadie más tiene la capacidad de escribir ese final, la autoría te pertenece.

Toma la acción consciente de inspirarte en otras personas. Cuando entendí que todo lo que quería era posible, fue cuando vi los resultados en otra persona. Lo que más me intrigó, fue saber que esa persona y yo teníamos un trasfondo similar, incluso habíamos participado de una red de mercadeo juntos, y si él lo logró yo también podía lograrlo. Mira los fracasos de esa gente que admiras, mírate en su espejo, utiliza como fuente de inspiración todas esas caídas y entiende que tu pasado no define tu futuro en lo más mínimo. Si de algo ayuda, pon un Ted Talk de tu orador favorito, escucha el relato de su historia y refléjate en ella. Sé responsable de los errores que cometes, pero no te latigues por ellos, que sean curvas de aprendizaje, y trabaja con ellas.

> *"Entiende que tu pasado no define tu futuro en lo más mínimo"*

NO EXISTEN ATAJOS

Cuando yo me criaba, todos queríamos el carrito nuevo, dos o tres monedas en el bolsillo y ropa bonita. Todo esto fue evolucionando y eventualmente queríamos una buena casa y asegurar el futuro de nuestros hijos. Mientras yo cursaba el grado 12 de escuela superior, muchos amigos, e incluso un familiar, recurrieron a la vía menos indicada para convertir todos esos deseos antes mencionados en una realidad. Criarse en el barrio lastimosamente es ver al truquero y al que vende drogas como un ejemplo, porque la ignorancia en la inocencia de la niñez piensa que esa es la única manera de ostentar toda esta basura que pensábamos debería ser el sinónimo de éxito.

Mi primo fue encarcelado por diez años, y muchos de nuestros amigos recibieron una sentencia parecida, ya que andaban en los mismos pasos. Mi papá nunca fue un tipo de ostentar cosas materiales, mi viejo siempre fue un trabajador incansable, hombre proveedor para su familia, que siempre se encargó de darme un buen ejemplo. Yo siempre vi las horas que mi papá trabajaba y no entendía como todas esas horas de trabajo no se convertían en un cambio en nuestro estilo de vida; pero recuerden que esta es la ignorancia hablando. Después mi padre me enseñó que por más dinero que hagamos no es una obligación que nuestro estilo de vida deba cambiar.

Hay una línea fina entre tratar de tomar un atajo porque no quieres pasar el trabajo necesario para llegar a tu destino, y ser estrátegico a la hora de descifrar el camino con menos resistencia. Si identificas que economizas esfuerzo y tiempo ejecutando de manera efectiva e inteligente, escoger ese camino no es tomar un atajo, más bien sería una muy buena estrategia. El dinero no es la raíz de todo mal, más bien el amor al dinero sí lo es. Por dinero las personas están dispuestas a hacer muchas locuras, por esa razón tenemos tantos políticos cometiendo actos de corrupción, aceptando sobornos y tratando de doblar las reglas a su conveniencia. Siempre y cuando el dinero y el poder esté accesible por una vía descubierta por el ser humano, siempre habrá alguien tratando de cortar camino y utilizar esa vía.

EL "ATAJO" DE LOS ESQUEMAS PONZI

Los mercados financieros siempre han traído consigo una gran probabilidad de que los seres humanos crean que tendrán la oportunidad de romper la ley sin que tengan que rendir cuentas a las autoridades. Esta es la razón del sentimiento de gratificación instantánea que nacen de los esquemas Ponzi. Se le da el nombre al esquema Ponzi por Charles Ponzi, quien comenzó su fraude en 1919. El fraude comienza en el Servicio Postal de los Estados Unidos, en el cual Ponzi estaba haciendo arbitraje financiero con cupones internacionales que el Servicio Postal proveía para la preventa de sellos a quien enviaba correspondencia. La persona que recibía estos cupones podía intercambiarlos en una estación postal por sellos de prioridad para enviar su respuesta. Ponzi se percató que estos cupones (IRC, Internal Reply Coupons) adquiridos en otros países podían ser vendidos en los Estados Unidos por una cantidad mayor.

Gracias a la Primera Guerra Mundial, la inflación comenzó a disminuir el costo de los sellos en Italia cuando se hacía la conversión a dólares americanos. En esencia, los sellos podían ser comprados baratos en Italia e intercambiados por sellos de mayor valor en Estados Unidos, para después ser vendidos y obtener ganancia. Ponzi les decía a potenciales inversionistas que la ganancia neta de estas transacciones superaba un 400 % de retorno después de gastos y cargos por el intercambio de las divisas.

El arbitraje financiero, que se basa en comprar un activo a un valor más bajo y venderlo en un mercado donde su valor es mayor, es una práctica totalmente legal hasta el día de hoy. Después de darse cuenta de esta oportunidad, siendo un negociante, Ponzi renunció a su trabajo para dedicarse a tiempo completo a su esquema con los cupones IRC. El único problema era que necesitaba una cantidad sustancial de capital para poder comprar IRC's en diversos países europeos.

Ponzi llevó su idea de negocios a diversas instituciones bancarias, pero al escuchar cuál era el negocio no estaban convencidas del todo, por consiguiente optaron por declinar la propuesta de Ponzi. Acto seguido, Ponzi comenzó una compañía de acciones y se fue a la calle a buscar el capital de potenciales inversionistas. También fue donde muchos amigos y prometió que duplicaría su inversión en tan solo 90 días. Ponzi después aumentó el interés a 50 %, básicamente prometiendo duplicar la inversión en tres meses, en un mercado donde los bancos solo pagaban un 5 % anual.

Para cualquier persona que conoce los mercados, reconocer que este interés era fuera de lo normal no era una tarea muy difícil. El tipo les dijo a todos sus inversionistas que este era el negocio en el cual tenían que estar, que las ganancias eran así de jugosas, y el ser humano por naturaleza es avaro para el dinero, es normal que vieran la oportunidad como una que no podían perder.

En Enero 1920 Ponzi le da comienzo a su compañía llamada "Securities Exchange Company", y en el primer mes alrededor de 18 personas habían invertido, Ponzi les pagó al mes siguiente con el dinero de personas que habían entrado después de ellos. A razón de siete meses, Charles Ponzi estaba recaudando alrededor de un millón de dólares diarios. Los inversionistas que comenzaron seguían recibiendo su dinero, pero el negocio estaba corriendo en pérdida, y el único método que Ponzi tenía para dar ese dinero a sus inversionistas era que nuevas personas siguieran entrando, nunca se esforzó por conseguir otras vías de ingreso.

A la larga, Ponzi se dio cuenta de que, logísticamente hablando, obtener el retorno de estos cupones para pagar legítimamente a sus inversionistas era imposible. Se dice que —para poner todo en contexto— hubiese hecho falta varios barcos del tamaño del Titanic llenos de cupones IRC para poder pagar a los 15 000 inversionistas que dieron su dinero a Ponzi. En resumidas cuentas, el Titanic no estaba presente, pero solo faltaban los violinistas porque el barco sí se estaba hundiendo con cada día que pasaba. Ponzi se percató de que llevar su negocio de manera legítima era imposible, pero también se dio cuenta de que si las personas seguían entrando, podía cumplir con el compromiso financiero de sus inversionistas.

Así que se hizo de la vista larga y continuó llevando a cabo su esquema.

Una de las cosas que favorecía para que el esquema se siguiera dando, fue que las personas seguían reinvirtiendo el dinero que se le pagaba, así que el dinero se quedaba dentro del esquema. Eventualmente las personas comenzaron a sospechar de Ponzi. ¿Cómo rayos este tipo de la noche a la mañana, de no tener mucho dinero alcanzó una vida tan ostentosa? Como muchos de estos personajes, Ponzi comenzó a darse una vida de lujos, y esto, naturalmente, va a llamar la atención de la gente. Los columnistas de economía y finanzas comenzaron a investigar los detalles del negocio y encontraron varias inconsistencias.

Todas estas inconsistencias resultaron en el inminente colapso del esquema piramidal de Charles Ponzi. Los esquemas piramidales funcionan hasta que la cantidad de personas que entran no es suficiente para pagar a las personas que invierten en el inicio, después todo se derrumba por completo; y esto no solo lo hemos visto con Ponzi, hemos podido ver demasiados personajes envueltos en un esquema como este. Tal fue la magnitud de este engaño en ese momento, que hasta ahora a estos fraudes piramidales se les conoce como esquemas Ponzi. Es poco más que curioso que hayas cometido un fraude de tal magnitud, que años después llamen al fraude por tu nombre. Buena suerte llenando una solicitud de empleo o emprendiendo un nuevo negocio con tu nombre...

LOS "ATAJOS" DE BERNIE MADOFF Y SAM BANKMAN-FRIED

Otra de las personas conocidas en un dilema parecido a este, es nada más y nada menos que Bernie Madoff. Es reconocido como el individuo que perpetró uno de los esquemas Ponzi más grandes en la historia de los Estados Unidos. Estafó por alrededor de 65 billones de dólares. Madoff nació en Nueva York, en 1938. Cabe destacar que Bernie Madoff fue miembro de la Asociación Nacional de Comerciantes de Valores (NASD por sus siglas en inglés) durante muchos años. Su empresa Bernard L. Madoff Investment Securities, creada en 1960, estuvo entre los primeros cinco lugares del NASDAQ (la segunda bolsa de valores electrónica automatizada más grande de Estados Unidos), por lo que era muy respetado por toda la organización. Su compañía tuvo dos áreas fundamentales: como bróker, que era donde participa casi todo el equipo, y el área de inversiones.

Fue en esta última donde se gestionó todo el fraude, invirtiendo el dinero en diversos fondos de cobertura. El esquema creado por Madoff, al igual que el de

Charles Ponzi, no era más que otro esquema piramidal donde Madoff estaba garantizando un porcentaje de retorno a sus inversionistas mes tras mes. Madoff utilizó la buena reputación que tenía para seguir llevando a cabo su fraude, que se estima duró entre 17 y 20 años.

Bernie Madoff, como creador de mercado, generaba alrededor de 50 millones al año. Un creador de mercado en aquellos tiempos compraba las acciones por un descuento de centavos y las vendía a potenciales compradores para también recibir centavos de ganancia de esa transacción. Cuando sumas los centavos de cada transacción con un volumen extenso de transacciones, llegan los millones de dólares en ganancias. Este es un caso donde no solo vemos a alguien cortar camino, este también es un caso donde también vemos cómo la codicia puede terminar acabando con una persona y hacerle cometer un error del cual se arrepienta toda su vida.

El negocio legítimo de Madoff generaba 50 millones de dólares al año. Hay personas que no saben cuándo es suficiente, y ahí tienes el vivo ejemplo de alguien que no solo cortó camino, sino que tampoco supo entender cuando era suficiente. Madoff fue arrestado en 2008 y eventualmente sentenciado a 150 años en prisión. Murió en la cárcel a los 82 años de edad.

En esta era moderna de las criptomonedas, en el mercado que me hizo libre, también tenemos a alguien que podemos utilizar como ejemplo: Sam Bankman-Fried, dueño del exchange centralizado FTX, y también dueño de Alameda Research, una firma de inversiones en el campo de divisas digitales. Este caballero utilizó fondos de sus usuarios en FTX para cubrir gastos y pérdidas de Alameda Research defraudando a sus inversionistas. Desde el inicio se dijo que FTX nunca utilizaría los fondos de sus usuarios para hacer inversiones, y esto le daba cierta seguridad al inversionista de que siempre y cuando no estuviese prestando su capital para inversión, este estaba a salvo.

Sam Bankman-Fried fue arrestado en las Bahamas y extraditado a los Estados Unidos para ser enjuiciado. Yo imagino que la piña colada que se estaba tomando en ese momento no debe haberle asentado el estómago muy bien que digamos. Tiene que haber escupido hasta al bartender cuando le pusieron las esposas. Bankman-Fried hizo de todo en la búsqueda de tapar su desastre. Recientemente se le añadió otro cargo federal, para un total de 13 cargos criminales, porque presuntamente intentó sobornar a varios funcionarios del gobierno Chino con 40 millones de dólares en cripto para que liberaran unas cuentas congeladas de Alameda Research con alrededor de un billón en criptomonedas. A medida que sigan saliendo cosas a la luz, por ahí se seguirán sumando cargos en contra de este individuo.

¿TE PROVOCA TOMAR UN ATAJO?

Pregúntate cuántas veces ha pasado por tu mente tomar un atajo para lograr las cosas que quieres. Esto no es trabajar inteligentemente, es querer un atajo porque no tienes los cojones de sacrificar lo que hay que sacrificar para lograr tus metas. Si siempre estás buscando una manera de cortar camino, te invito a evaluar tu conjunto de creencias y valores, porque me parece que los valores de quien siempre busca cortar camino son una basura; o simplemente esa persona no entiende bien el término "atrasar la gratificación".

Esta es una manera sencilla de convertir el fracaso en algo vitalicio, de cavar una tumba de la cual nunca puedas salir. Hasta cierto punto, entiendo de dónde viene este sentimiento de querer disfrutar la vida porque es corta, de querer tener experiencias y que no tengas que esperar a llegar a tus 60 años para que esto sea de esa manera, pero eso no es excusa para que eches a perder tu vida buscando atajos.

También están los que al parecer van buscando en internet cual es el anuncio que más luzca como un fraude para invertir allí hasta los ahorros de su abuela. Se enteran de un negocio cómodo, fácil y sencillo, lo cual usualmente está lleno de banderas rojas que indican que algo no anda bien, y le meten dinero sin miedo. Estos son los personajes que menos lástima me dan, porque la quieren linda una y otra vez. Yo también fui víctima de una estafa, pero fue solo eso, una estafa; y rápidamente aprendí mi lección. No estamos aquí para condenar tus errores, pero si te encuentras cometiendo un error más de una vez, no viene siendo un error, es una decisión consciente la que estás tomando.

"Si siempre estás buscando una manera de cortar camino, te invito a evaluar tu conjunto de creencias y valores"

Te lo repetiré nuevamente para que lo entiendas pequeño saltamontes: en la búsqueda del éxito, la felicidad, la realización, o como prefieras llamarlo, no existe ningún atajo. En palabras de mis hermanos en la República Dominicana, "hay que guayar la yuca" (poner esfuerzo y sacrificio) para lograr esas metas. Otro de los ángulos que debes analizar para darle más validez a este punto, es que no hay gloria en lo que llega rápido, y mucho menos una historia que puedas contar para cambiar las vidas que estén cerca de ti.

Hace unos años, mi hijo pidió una consola de videojuegos, un Nintendo Switch. Los muchachitos en estos tiempos viven pegados a estas consolas, y a mi hijo le fascinan los videojuegos. Me di cuenta que a medida que mi hijo iba pasando los juegos y se encontraba con adversidad, se frustraba, muy parecido a nosotros cuando intentamos algo y no nos sale como teníamos planeado. Yo solo observaba su ejecución para ver cuál era su reacción ante esa adversidad y cómo manejaba sus emociones y sus frustraciones; pero el chico era sabio, y cuando yo estaba presente su manejo de emociones era impecable.

A medida que fueron pasando los días me percaté de unos orificios pequeños que tenía la pantalla de su Switch. Le pregunté de donde habían salido, y como bien pudiste adivinar, el pequeño no tenía idea de dónde habían salido los orificios, es decir aparecieron en su pantalla como por arte de magia. Después del careo intenso, no le quedó más remedio que decirme la verdad: cada vez que se enojaba porque algo no le salía bien en el juego, cogía un lapiz y le daba a la pantalla con él. ¡Un niño pequeño con problemas de ira!

Suena chistoso, pero para mí no lo era. Después de una larga conversación y un castigo para que aprendiera el valor de las cosas, perdió el privilegio de usar su Switch hasta que reuniera el dinero para que pudieramos reparar la pantalla. Le fui asignando tareas por las cuales finalmente le pagué. Tardó unos meses en guardar el dinero, y todo ese tiempo estuvo sin poder usar su Switch. Cuando finalmente pudo usarlo, le pregunté ¿cómo se sentía al poder usar su juego? Me respondió que ahora tendría mucho más cuidado, y que lo cuidaría con su vida. Así ha continuado nuestro sistema para las cosas que quiere, yo le asigno tareas por las cuales remunero su esfuerzo, y él con su dinero tiene la capacidad de comprarlas.

Aquí fue que descubrí que solo los obstáculos les dan sentido a los propósitos, y a mi hijo le tocó tener esta experiencia temprano, para que entienda que no existen atajos, que las cosas cuestan sacrificio, y que una victoria sabe mucho mejor después de varias derrotas. Una historia sin adversidad es una historia que no merece ser contada. Abraza el camino, enamórate de caminar, y cuando llegues a tu destino será mucho más satisfactorio.

"Solo los obstáculos les dan sentido a los propósitos"

Querido Murphy:

Tú y yo tenemos una historia juntos. Me perseguiste durante toda mi niñez, te convertiste en mi sombra. Si procrastinaba mis repasos, por más énfasis que le diera a varios días del examen, era casi seguro que reprobaría. Si trataba de explicarle a mi papá una idea de negocios, era usual que fuese descartada, porque un joven jamás podría tener mejor planteamiento que un adulto, simplemente no se vería desde el mismo lente que yo logré verlo. Me atormentaste en todas mis hazañas desde bien temprano.

Recuerdo como si fuese ayer que hiciste pensar a mis allegados que yo era una pila de sal, y si cualquier cosa que tenía que ver conmigo podía salir mal, era casi seguro que saldría mal. Si ponían un vaso con líquido a mi lado, lo derramaría; si me daban una tarea, no acabaría bien. Me hiciste pensar que no tenía control sobre nada en mi vida, era como un barco en naufragio y su capitán había abandonado la nave antes que sus tripulantes. Me sentía culpable de muchas cosas, de tantas que hasta algunos años me reprochaba porque no las entendía. Crecí aceptando el hecho de que habemos seres humanos torpes por naturaleza, y aunque hasta el sol de hoy me siento de esa manera, el hecho de que sea torpe no tenía por qué significar que fracasaría en lo que me propusiera.

Poco a poco fui entendiendo la interpretación de tu ley. Mientras hacías esas pruebas de la resistencia humana a las fuerzas G, durante el proceso confiaste y le diste la tarea a tu asistente de cablear el arnés con el cual se llevaría a cabo la prueba. Los sensores dieron una lectura de cero, era evidente que algo había salido mal. A final de cuentas tu asistente instaló el cableado de manera errónea: cada sensor se había cableado al revés.

Al igual que tú, en muchas ocasiones en mi vida asumí una actitud arrogante ante un evento adverso. Como de costumbre, recurría a responsabilizar a otros de todo lo malo que me ocurría. Yo creo que hoy ambos podemos sincerarnos y entender que nunca habrá un tercero responsable de los acontecimientos cuando hay un líder en el cuarto. Me faltó carácter para asumir la responsabilidad, pero con el tiempo aprendí que no era pesimismo lo que buscabas inculcar, es que hay cierto tipo de paz mental cuando podemos observar el panorama completo y asumir nuestro riesgo para que las cosas no nos afecten si no salen como planeamos. Planear a la defensiva, entender que los resultados no siempre estarán a mi favor, me enseñó a tomar todas las avenidas posibles en consideración antes que ser cegado por el deseo de que todo saliera bien.

Eres famoso en el ejército, tu frase se escucha a diario en todas las oficinas y formaciones antes de un ejercicio. El tiempo me enseñó a dejar de verte como un pesimista, y comenzar a verte como un estratega, *alguien que anticipaba el golpe antes que sucediera. Me hubiese economizado muchos dolores de cabeza si lo hubiese visto así desde un principio, pero las cosas suceden en el momento perfecto. A ti, mi gran referente, doy las gracias, porque en retrospectiva hoy puedo ver todo más claro. Gracias Murphy.*

PARTE 3

LA ACCIÓN

CUANDO EL CAMINO SE PONE DURO, LOS DUROS SALEN A CAMINAR

¿De qué vale toda la teoría del mundo si no la ponemos en práctica? Esto me recuerda a lo que yo le llamo "Groupies del éxito". Es el que gasta todas las quincenas en productos de desarrollo personal, pero todavía no encuentra la fuerza de voluntad para comenzar a poner todo lo aprendido en práctica. Aquí no procedemos así, aquí se toma acción. Este libro no es una medallita para sentirte bien, tampoco una historieta; este libro es para que reunas toda la valentía necesaria que te haga accionar. Salgamos a caminar.

CAPÍTULO 5

TODO SALDRÁ MAL

El obstáculo en el camino se convierte en el camino.
Nunca lo olvides, dentro de cada obstáculo hay
una oportunidad para mejorar nuestra condición.

—RYAN HOLIDAY

La vida está llena de obstáculos, eso es inevitable. En ocasiones no existe maneras de aprender una buena lección sin antes pasar por varios obstáculos antes de llegar a nuestra meta. Podemos percibir las cosas de cierta manera y actuar acorde a lo que hemos percibido. Aunque nuestra percepción sea correcta, eso no garantiza que las cosas van a salir tal y como planeamos. Hay factores que no controlamos, eso lo he aprendido del estoicismo, una filosofía que me ha dado mucha paz mental a la hora de tomar acción.

Hay cosas que aunque no queramos verlas de esa manera, son imposibles, nichos que son inexplorables, caminos que no podemos recorrer por su naturaleza. Hay cosas, organizaciones y situaciones que son más grandes que nosotros como individuos. Reconocerlo y tratar de hacer paz con ese hecho es una de las hazañas más difíciles, pero una vez conquistada, todo cambia. No controlamos muchas veces lo que sucede a nuestro alrededor, pero sí podemos controlar cómo nos sentimos con ese suceso, y para eso la inteligencia emocional es clave.

Todas las veces que fracasé en mis negocios me desmoralizaba, en lugar de cuestionarme ¿hice todo lo que tenía que hacer? ¿Utilicé todos los recursos? ¿Qué no debo hacer cuando incursione en mi próximo negocio? Preferí lamentarme muchas veces y patalear como si fuera un escandaloso nene chiquito, y la lección por aprender era desperdiciada.

Todos hemos sido lastimados en alguna ocasión por alguien que amamos. Le hemos entregado nuestra vida, hemos sido leales, hemos sido su confidente, su paño de lágrimas, su compañía en momentos de soledad, y aun así hemos sido lastimados. Esto es una píldora difícil de tragar, pero muchas veces estas personas no cometen los actos que cometen desde el mal. No hay mala intención detrás de su error, y aunque esto no le quita la responsabilidad de cometer el acto que sea que cometan, nos otorga cierto poder a nosotros, porque nosotros sí somos responsables de la manera en la cual nos sentimos con esos actos.

Cuando alguien que amamos nos lastima tenemos dos opciones: convertirnos en víctimas de manera vitalicia, o comenzar a practicar el perdón. Invertir en el mercado de criptomonedas me ayudó a adoptar esta filosofía como uno de mis mantras. Cada vez que invertía en un proyecto, restaba la cantidad invertida de mi portafolio de inversiones, asumiendo la pérdida total de ese capital que acababa de invertir.

Así son todas mis inversiones, asumo mi riesgo pensando que se va a perder, invierto de manera desprendida. Cuando perdí mi primer millón, la sensación fue igual de enorme que cuando gané mi primer millón. La diarrea que me dio esas primeras 72 horas, no paraba ni con un cargamento de la más potente medicina para la diarrea. ¿Qué me ayudó a lidiar con esa pérdida? La aceptación, entender que las cosas podían irse en esa dirección, que no tenía esa ganancia asegurada.

Hasta cierto punto aprendí a ver la vida como un casino, y no estoy hablando de apostar sin saber qué estoy haciendo, estoy hablando de probabilidades, y que si tiro el dado puede que estos no salgan a mi favor al final del día. A veces no importa cuánto enfoque tengamos, cuánto empeño le dediquemos a un negocio, a una relación o a la crianza de nuestros hijos. Las cosas finalmente tomarán su curso. Pueden salir mal y no hay nada que podamos hacer para prevenirlo.

El desapego ha sido una herramienta vital para mí. He aprendido a vivir totalmente desprendido de los resultados y de las expectativas. Ponte a pensar cuántas veces has conocido un prospecto que potencialmente puede ser tu pareja. La persona te gusta, te sientes bien a su lado, pero apenas se están conociendo y hay una larga lista de cosas que pueden ir mal a medida que los dos se siguen conociendo. Tú ya te hiciste la imagen de un príncipe azul en tu cabeza, ese tipo es perfecto, lo que le falta son las alas para ser un ángel.

Idealizaste la perfección hecha carne y hueso, y si el tipo suelta un olor raro, a ti te huele a un carísimo perfume *Herod de Parfums de Marly*. Pasa el tiempo, y no es que la personalidad del tipo haya cambiado, más bien te das cuenta que todo lo que idealizaste no era cierto. Construiste una imagen, creaste la expectativa de algo que no existía y te decepcionaste al ver que estabas lejos de la realidad. Lo mismo hacemos con nuestras metas y aspiraciones. No estoy diciendo que está mal que visualicemos, y que nuestra visualización tenga un desenlace positivo, pero casarnos con ese desenlace es lo que nos condiciona de manera incorrecta. Vivo la vida de tal manera que nada me sorprende, espero cualquier cosa de cualquier persona y cualquier proyecto que tenga al momento.

Hay una historia que me gusta mucho de uno de los libros de Ryan Holiday titulado *The Daily Stoic*, en el cual Holiday da su punto de vista analizando 366 meditaciones del estoicismo. El libro está diseñado para leer una página al día y se ha vuelto en uno de mis hábitos no negociables. Relata la historia de un anciano que tiene una jarra dorada, la cual tenía un valor sentimental incalculable para él. Parte de la rutina de este anciano consistía en repetir en voz alta todos los días "la jarra está rota", cuando en verdad la jarra no estaba rota, estaba en perfectas condiciones. Pasaron los años y eventualmente la jarra se rompió. El que la jarra se rompiera no tuvo ningún efecto en el anciano, dado que llevaba años preparándose mentalmente, haciéndose entender que en algún momento la jarra realmente sí estaría rota.

Entiendo que esta manera de pensar puede interferir de manera enorme con muchas de las cosas que escuchamos hoy día, como las palabras de afirmación y ver las cosas de manera optimista, que aunque muy bien concuerdo con que han sido cosas que me han ayudado bastante, el optimismo y las afirmaciones no pueden ser ciegos. La vida no es fácil, y con ella viene mucha crudeza, muchos golpes inesperados que están diseñados para sacarnos completamente de nuestro enfoque. Yo prefiero que abraces la crudeza de las cosas en lugar de buscar maquillarlas con tu paleta favorita de colores que compraste en Sephora.

Uno de los rituales más locos que hago a diario para obtener este tipo de mentalidad, es que imagino que lo pierdo todo, y no solo hablo de las cosas materiales, también hablo de mis familiares. El simple hecho de entender que en algún momento puedo perderlo todo trabaja con mi mente de tal manera que resulta necesario vivir con mis capacidades al máximo. Practica este ejercicio a diario, imagina que todo se va a la mierda, que pierdes todas tus pertenecias materiales, tu familia, tus amigos, tu pareja, te encuentras solo. ¿Cómo manejarías la situación? ¿Deberías cambiar la manera en la cual vives hoy tomando todo eso en consideración? Piensa que nada es vitalicio, eso incluye el dolor que puedas sentir.

Para que podamos imaginar que todo puede salirnos mal, antes debemos antes abandonar nuestro ego y la vanidad. Muchas veces vamos en búsqueda de reconocimiento, y nuestro ego no nos permite ver que exista la posibilidad de que nuestro plan no sea tan maestro como pensamos. Caemos en la trampa de pensar que lo sabemos todo, incluso después de que esto ha sido probado como incorrecto a través del tiempo.

Por si no te han dado la noticia, cumplo con dártela hoy: deja de pensar que lo sabes todo, que tienes todos los caminos descifrados y que ya has mitigado todos los errores que podías cometer. Si aún no la entendiste, la carta a Murphy es dirigida a Edward Murphy, el tipo por el cual nombraron la ley de Murphy. Esta establece que todo lo que puede salir mal, saldrá mal. Aunque pueda ser visto como pesimista, es más bien una forma de planear a la defensiva, tomando en consideración todas las cosas que pueden salir mal.

En el camino ve añadiendo esa actitud de desapego. El desprendimiento te convertirá en una criatura distinta. Ya no tendrás miedo de salir a accionar nuevamente porque tienes control de la manera como te sentirás, Las personas no llegan a vencer el fracaso porque se rinden en el camino, no quieren volver a intentarlo después que se queman cuando algo sale mal. Si no le tienes miedo a que todo salga mal, porque entiendes que así puede ser, ganarás la mayor seguridad que has experimentado en tu vida. Todo potencial éxito es privado por la falta de acción, prepara tu mente para que una vez que llegue el tropiezo, tengas la valentía de volver a intentarlo. La jarra siempre estuvo rota.

CONCIENCIA DE SÍ MISMO

Crecí viendo artistas en cadenas de televisión norteamericanas como VH1, BET, MTV, entre otras. A Puerto Rico, como muchos pueden saber, se le conoce como la cuna de un género que se popularizó con el pasar de los años. Durante sus comienzos ese género fue marginado igual que la salsa, era el género de los barrios y los caseríos. El reguetón (reggaetón) fue un género que revolucionó la industria de la música en latinoamérica.

"Si no le tienes miedo a que todo salga mal, ganarás la mayor seguridad que has experimentado en tu vida"

Todavía recuerdo cuando cursaba el tercer grado de escuela elemental, en ese momento vivía en una urbanización llamada Parque Ecuestre, de la ciudad de Carolina, en Puerto Rico. Un día fueron a la escuela a visitarnos, en un evento tipo "meet and greet", tres artistas del género reguetón / rap. Hector y Tito "Los Bambinos" y David Sánchez Badillo, mejor concido como "Tempo". Desde ese momento, mi mente comenzó a trabajar, y me hacía pensar que debía tener uno de dos ejemplos a seguir en la vida: ser artista o traficar drogas. Esto fue así por las razones que discutimos al inicio, quería una vida distinta a la de mis padres, y estos personajes eran los que parecían tener los códigos descifrados para que eso sucediera. Para mí la decisión fue casi inmediata, ser artista me llamó mucho la atención, así que empecé a componer temas en mi libreta desde que estaba en quinto grado. Me encantaba la música de 50 Cent, Eminem, Jadakiss, Nas, Jay Z, Zion y Lennox, Héctor El Father, Don Omar, y la lista continúa.

Comencé a guardar dinero para pagar tiempo en un estudio y grabar mis primeros sencillos. Al pasar de los años fui ganando un poco de experiencia. Toqué muchas puertas, dormí en estudios de grabación, pedí ayuda a personas que nunca me la dieron, en fin... pasé por todo lo que pasa un nuevo talento en cualquier industria o género. Llegué a firmar un contrato discográfico como artista en una casa disquera independiente y hasta hice una pequeña gira promocional en República Dominicana. Tuvimos algunas presentaciones en vivo y regresamos a Puerto Rico.

En la disquera trabajamos una compilación con otro de los artistas de la compañía, y después de eso, poco a poco fue disminuyendo nuestra producción. La realidad era que al igual que muchos talentos en la industria de la música, representábamos una pérdida para la disquera; y es normal para una compañía desistir de algo que no representaba un buen negocio para ellos. En aquel momento nada tenía sentido, yo estaba muy decepcionado y no entendía por qué si le había dedicado tanto tiempo a la música no se daban las cosas como yo quería.

Como si tratara de una epifanía, de un día para otro encontré todas las respuestas que estaba buscando. Tratamos de seguir haciendo música por nuestra cuenta, pero yo comencé a prestar atención a la reacción de las personas al escuchar mi música. La respuesta era sencilla: yo no tenía talento para interpretar y el mercado llevaba años tratando de dejármelo saber, pero yo no le estaba haciendo caso, fui terco y traté de nadar en contra de la corriente. Sin embargo, algo yo tenía claro, y era que yo no estaba dispuesto a asumir el dolor de cabeza de aprender a producir música.

Probablemente sí había talento para la composición, pero había un aspecto que no me llamaba la atención: el que otros interpretaran algo que yo compuse, así que esa posibilidad también quedaba descartada. Comencé a analizar y pensé que si de alguna manera podía seguir conectado a esa industria, trataría de hacerlo posible. Ya había hecho paz con el hecho de que nunca sería artista, pues para mí lo más cercano a eso sería convertirme en productor ejecutivo. Crecí viendo el éxito y protagonismo que tenían personas como Suge Knight, Sean Combs, Raphy Pina, Emilio Estefan; y los admiraba porque aunque no tenían las cámaras encima siempre, eran igualmente responsables de parte del éxito de sus artistas.

Como ya les había contado, fundé mi casa disquera y traté de perseguir mi sueño desde otra esquina. La producción ejecutiva era un monstruo totalmente diferente, que dependía menos de mi sincero esfuerzo y de relacionarme, y más de mi capital disponible. Después de las criptomonedas, yo diría que la música es uno de los negocios más riesgosos. Si bien es cierto que en los negocios no hay nada seguro, en este negocio partes de la premisa de que un público consumirá la propuesta de tu artista, y esto es cuesta arriba. Muchos empresarios en la industria de la música no ven un solo dólar de vuelta, esa es la realidad que muchos no dirán. No todo el mundo corre con la suerte de un artista talentoso y con el capital necesario para hacer que este artista explote y gane notoriedad.

Invertí hasta lo que no tenía, me presté dinero, me fui al ejército y dejé todos mis ahorros en ese sueño. Firmamos un total de tres artistas, dos eran propuestas urbanas y uno era un artista de balada para el cual hicimos un disco, video, y estuvo en rotación en distintas emisoras de radio en Puerto Rico. A fin de cuentas, tampoco se me dio como productor ejecutivo, y ya estaba de brazos caídos con hacer ese sueño realidad. Tal vez si hubiese continuado se me hubiese dado, pero la realidad es que me quedé sin capital, y era imposible continuar con ese proyecto. Cuando entro en la máquina del tiempo, entiendo que todo esto tenía que pasar ya que me preparó para lo que estoy haciendo hoy. El poco tiempo que pasé frente las cámaras me preparó para no ser tímido a la hora de hablar frente a las cámaras hoy día, el tiempo que pasé componiendo me ayudó a la autoría de este libro que hoy tienes en tus manos y la poesía escrita. Todo tenía su razón de ser.

¿Qué tiene que ver esto contigo? ¿Te has preguntado si eres bueno haciendo lo que haces? Es media complicada la pregunta, pero hay una razón por la cual yo no cocino para la visita y prefiero comprar comida, porque se me quema hasta el agua. Tengo un estilo muy malo para cocinar. Esto puede que tenga que ver con la poca práctica que tengo en el área, pero ese no es el punto, el punto es que trato de no invertir energías en las cosas que no soy bueno. Yo no soy fanático de dividir el esfuerzo con veinte cosas diferentes, ya que desde mi punto de vista diluye el resultado. En el género urbano todos quieren ser Bad Bunny ya que puede componer, interpretar y producir ritmos, pero es un porcentaje bien pequeño el que tiene todas las heramientas que tiene Bad al hacer música.

Algo más sensato es que dobles las apuestas en tus fortalezas y le prestes caso omiso a tus debilidades. En ocasiones no queremos prestar atención a las señales porque duele caer en la cuenta que no tenemos el talento para hacer lo que queremos hacer. ¿Qué es la conciencia de sí mismo? Es el conocimiento que tenemos acerca nuestro carácter, sentimientos, motivos y deseos; pero más allá de la definición que podamos encontrar en el diccionario —que ustedes ya vieron que me importa un carajo— es saber cuales son tus fortalezas, qué te gusta, qué te disgusta. En arroz y habichuelas, como decimos en Puerto Rico, es saber quién eres, conocerte a ti mismo y conocer cómo operas.

> *"Algo más sensato es que dobles las apuestas en tus fortalezas y le prestes caso omiso a tus debilidades"*

¿Y SI EL DINERO NO FUERA EL PROBLEMA?

La razón por la cual le doy importancia a esto, es porque existen demasiadas personas en la búsqueda de conocer como la palma de su mano a otras personas, cuando a duras penas se conocen a ellos mismos. No saben las cosas que les agradan, que le disgustan, que causan un sentimiento en su ser. Le he hecho esta pregunta a muchas personas: ¿qué harían si la vida no costara? Es decir, ¿qué harían si el dinero no fuese problema? Pocas personas tienen una respuesta concreta. Como es algo lejos de ser real, muchas personas no se han hecho la pregunta o simplemente es una duda existencial que vivirá en su subconsciente mientras existan.

Hay personas que prefieren un buen salario aunque desprecien cada segundo de su nefasta vida. Le dan un saludo hipócrita al necio compañero de trabajo que le causó problemas con su supervisor sin ninguna razón aparente, y se siguen sumergiendo en una cloaca laboral porque eso es lo que trae el pan a la mesa todos los meses. Que quede claro que no tengo nada en contra del que sea feliz trabajando de 9 a 5; esto más bien va dirigido al que lo aborrece, pero hasta ahora no ha hecho absolutamente nada para corregirlo. También hay gente que siguió una tradición familiar sin cuestionarla y terminan perdiendo el tiempo, porque al darse cuenta, ya habían desperdiciado la mitad de su vida. Y otros que hicieron algo porque sus padres o familiares dijeron que eso era lo correcto.

Hazte la pregunta: ¿si hoy te dieran la oportunidad de vivir de algo que pagara tus compromisos mes a mes, qué sería? Necesito que seas sincero contigo, y que también te preguntes ¿si tuvieras que tomar un recorte de salario por vivir de eso que escogiste, lo harías? Suena a cliché, pero solo cuando llegas a tener una buena suma de dinero en las manos, entiendes que tus problemas no desaparecen una vez tienes ese dinero, simplemente la ecuación problemática del dinero viene siendo remplazada por otra.

En esta nueva era del mundo digital y de nuevos empresarios, hay demasiadas personas que quieren ser emprendedores para la foto, y lo más chistoso es que el que sabe de negocios puede verlo a millones de millas de distancia. Lo digo porque para nuestros padres convertirse en emprendedor era sinónimo de ser un vago y no querer estudiar. Por cumplir con los míos, yo seguí una maestría que no ejercí, y luego continué con mi rumbo. El problema con que ahora emprender sea algo que todos quieren hacer, es que el emprendimiento está lleno de personas que no se han hecho un autoanálisis y no tienen el calibre para hacerse llamar emprendedores.

No todo el mundo nace para emprender, y no todo el mundo está hecho para ser el número uno en una empresa, porque en palabras del tío Ben, en El Hombre Araña, "con un gran poder, viene gran responsabilidad", y estos personajes muchas veces no están listos para esa responsabilidad. Muchos no se han tomado el trabajo de entender que no son el número uno, pero harían un trabajo excepcional como el número dos de una empresa.

LeBron James tuvo a Dwayne Wade en Miami y a Kyrie Irving en Cleveland. De no haber existido como "número dos" en la ecuación, es indudable que estos dos caballeros no hubiesen brillado de la manera que lo hicieron y tal vez no hubiesen tenido el éxito que tuvieron.

¿Eres tú el número uno o eres el número dos o el tres o el cuatro? Hay gente que siendo el número dos, hace una cantidad absurda de dinero y son felices haciéndolo. El punto es que ellos se tomaron la molestia de descubrir dónde estaban sus fortalezas para poder sumar la mayor de sus capacidades, esto resultó en que su esfuerzo se remunere como ellos merecían. Muchos se lanzan a aventuras sin saber de qué están hechas y cuales son las cosas de las cuales está compuesta esa aventura. Es como si a alguien que no le gustara recibir un "no" como respuesta, o al no recibir respuesta en lo absoluto comenzara una jornada como testigo de Jehová. Su fe no vislumbraría durar mucho.

La conciencia de nosotros mismos es más difícil para algunas personas que otras. Demasiadas personas están dispuestas a extender una crítica a alguien que no la ha pedido, pero no tienen la valentía para hacer un poco de introspección, les aterra encarar sus demonios. Cuando las personas se acostumbran a mirar a los demás en lugar de mirar hacia adentro, el mayor problema es que terminan sobreestimando sus fortalezas y subestimando sus debilidades, y este puede significar el fracaso permanente del individuo.

Cuando eres honesto contigo mismo no hay espacio para que maquilles todas tus tonterías. A ti que me estás leyendo, seguro que tienes tiempo para pensar en tus metas y aspiraciones; pero nos damos una vuelta por tu casa, inspeccionamos tu cuarto y parece una película de terror... Si es así, tus prioridades están mal alineadas, tienes mucho trabajo por hacer. Es tu deber ser honesto contigo mismo, eso te permite tomar acción. Presta más atención a las cosas que amas, a las cosas que te mueven y naturalmente vienen hacia ti, aunque se pueda dar el caso que lo que ames no sea tu mayor fortaleza, y eso tienes que medirlo en base al resultado que obtienes haciendo tu pasión.

A lo mejor sueñas con entrar a las grandes ligas, pero no rindes lo que se supone que debe rendir un prospecto de grandes ligas; y puede que jugar béisbol en Doble A (ligas menores) sea la opción para ti. También es vital que prestes atención a lo que no te gusta. Nos encanta ponerle el sello de "vagancia" cuando no queremos hacer algo, pero ¿te está tratando de comunicar algo esa vagancia? En términos simples, aunque nos cueste trabajo, tenemos que encontrar un balance. Todos tenemos algo que nos encanta hacer y somos buenos haciéndolo. Yo comencé haciendo oratoria en el ejército, y cuando la hacía mis soldados me prestaban atención, como si estuviesen hipnotizados, eso me enseñó que las personas querían escuchar lo que yo tenía que decir. El camino a la conciencia de ti mismo te traerá un paso más cerca a alcanzar tus metas.

SÉ MÁS CONSCIENTE DE TI MISMO

Hay varias cosas que puedes poner en práctica para que seas alguien más consciente de ti mismo. Hazte preguntas constantemente. Entre ellas, puedes intentar las siguientes:

1. ¿Qué es lo que quiero lograr?

La misión debe ser clara, debe ser una meta y no una mera aspiración. Debemos tener un tiempo en el cual logremos ciertas cosas para conseguir nuestro cometido. No necesitamos tener un tiempo para lograr esa meta como tal, pero sí debemos tener tareas con un tiempo establecido. Estas tareas son las que nos llevarán a la meta final.

2. ¿Lo que estoy haciendo me está trayendo resultados?

Pocas veces analizamos el resultado y perdemos el tiempo. Hay cosas que toman más tiempo que otras, pero el resultado no siempre tiene que cuantificarse en dinero, hay muchas maneras de medir el resultado; por ejemplo: alcance, presencia, experiencia. ¿Eres el mismo haciendo aquella tarea que cuando lo hacías dos o tres años atrás?

3. ¿Hay algo que me impide progresar?

Relaciones tóxicas, poco enfoque, distracciones, falta de recursos, falta de un mentor o guía. Todas estas cosas pueden estar frenando tu proceso, es necesario que las identifiques y las soluciones de inmediato, ya que un día que dejes pasar es otro día que te atrasas, y el tiempo es más valioso que el dinero. Si tu novio o novia es un ancla que no deja zarpar el barco, ¡déjala o déjalo y se acabó! Y hazlo sin remordimiento alguno, me lo agradecerás luego.

4. ¿Qué hago para cambiar?

Aquí no hay mucho que aportar, ya que la respuesta a la pregunta es simple. Deja de perder el tiempo y toma acción una vez que identifiques las cosas que te descarrilan de tus objetivos.

Luego de terminar el proceso de cuestionamiento, comienza un proceso en el cual practiques la autoconciencia día a día. También puedo dejarte con algunos consejos para ello:

1. Escribe tus planes y prioridades

Delinear las cosas que quieres, y ponerlas en orden de importancia te ayudará mucho. Para mí escribir mis metas es organizar una misión, saber cuál es mi objetivo, cuánto tiempo tengo para lograrlo y cuál es el resultado que espero de esa meta. Esta será la maqueta de tu complejo de apartamentos, tú eres el arquitecto.

2. Pregúntale a tus amigos*

¿Viste el asterisco? Pues así como lo leíste, debe ser interpretado. Como los anuncios, aplican ciertas restricciones. Yo no ando con tonterías, porque el que anda con cojos a los dos días termina cojeando. El mensaje que quiero llevar con esto es que todos tenemos en nuestro circulo de amistades el tipo que pasa demasiado tiempo viendo Netflix y comiendo pura basura. Y eso no tiene nada malo, a todos nos gusta hacer lo mismo de vez en cuando, pero no creo que este sea el tipo al que debas tomarle la palabra en serio, a menos que quieras ser actor y él sea crítico de cine.

Confío en que tengas en tu círculo gente capaz, personas que tienen dos dedos de frente y puedan darte una opinión honesta de tu desempeño. Honesta no significa buena. Honesta no significa que son tus porristas y celebran todo lo que haces; por el contrario, son personas dispuestas a decirte que tu basura apesta cuando esto sea necesario. Si todavía no has desarrollado la capacidad de recibir retroalimentación honesta y cruda, tienes trabajo por hacer, ponte las pilas.

3. Busca a alguien en tu campo

Es casi seguro que en el campo que buscas sobresalir haya alguien que admires por su éxito. Estas personas, en ocasiones, no son las más accesibles del mundo, pero no hay peor gestión que la que no se hace. Trata de llegar a esa persona que admiras, tal vez puedas ofrecer agregarle valor de manera gratuita, ganes un espacio en su círculo y puedas recibir esa validación que llevas tiempo buscando.

Convierte la autoconciencia en un ejercicio constante, verás que el resultado a corto y largo plazo te dará las herramientas necesarias para conocerte a ti mismo cada día más.

"Cuando eres honesto contigo mismo no hay espacio para que maquilles todas tus tonterías"

EL MOMENTO INDICADO

El 2022 fue un buen año para mí. Siempre tenemos nuestros altibajos, y como comenté al principio, cuando el dinero deja de ser una de tus preocupaciones, este es solo reemplazado por una nueva preocupación. Yo sabía que después de las cosas que había logrado durante el año, quería culminar con un evento que fuese accesible para las personas que me siguen. En este nicho, una mentoría es usualmente un producto costoso, ya que el *coach* tiene que emplear tiempo y recursos para llevar a un estudiante por el camino correcto, pero en un evento recogía todo mi público y le permitía acceso a un espectáculo en el cual pudieran nutrirse de información valiosa, mientras también tenían entretenimiento de parte de algunos de los invitados esa noche.

"Deja de perder el tiempo y toma acción una vez que identifiques las cosas que te descarrilan de tus objetivos"

Yo tenía una sede en mente, y mi meta era que no fuera una sede con una capacidad de más de 800 personas, esto para asegurar un lleno total y probablemente hacer más de una función. Estaba convencido de que era algo que podíamos lograr. Sin embargo, cuando comenzamos a hacer las llamadas para conseguir el espacio, nos dimos con un obstáculo: gracias a la pandemia y esos dos años de acuartelamiento, todo el mundo quería salir de sus casas y disfrutar de distintos eventos.

Los productores de eventos ya habían identificado esta oportunidad en su mercado, y como emprendedores, tuviesen un evento o no lo tuviesen, comenzaron a coger todas las fechas disponibles en los locales con el fin de hacer dinero al venderlas. Por otro lado, también querían tener la fecha disponible para negociarla en el caso de que cualquier talento quisiera la fecha para un evento. Las cartas estaban de su lado en la mesa, y así es que corren los negocios, nos guste o no. "En esto vive el listo del pendejo", como decían en mi barrio, que traducido a algo más simple sería "así vive el listo, haciendo uso del tonto".

La realidad es que me frustré. Me frustré porque siempre he querido que mi propósito vaya de la mano con mis acciones, y si yo hiciera un *Mastermind* para cobrar mil dólares por taquilla, allí no le estaría dando acceso a las masas. No es que no lo pueda hacer, es que ese no era el propósito del evento. El propósito era que fuese accesible y que la cantidad de personas que quisieran asistir al evento pudieran hacerlo sin tener que preocuparse porque fuese inaccesible económicamente.

Ya casi me había despedido de la posibilidad de hacer este evento antes que el año cerrara, hasta que tuve una conversación con un buen amigo que era productor de eventos. En nuestra conversación le comenté que quería hacer un evento pero se me estaba haciendo imposible encontrar un buen lugar para el mismo, ya que quería hacerlo en el Centro de Bellas Artes. Él me dijo "no puedo ayudarte con Bellas Artes porque las fechas están ocupadas, pero tengo fechas para el Coca Cola Music Hall". De inmediato, me paralicé, ya que estamos hablando de un lugar cuya capacidad es de más de 4000 personas. Yo confío en mí, pero este era un reto que no estaba seguro si podía lograr o no; y sin pensarlo, le dije que sí. Después que le di la respuesta, cuestioné un millón de veces si estaba tomando la decisión correcta. El síndrome del impostor fue adueñándose de la seguridad que he tenido en mí todo este tiempo, y mil dudas entraron a mi mente...

¿Quién era yo para pensar que más de mil personas iban a pagar por un boleto para ir a verme? Para mi sorpresa, no solo pagaron su boleto, sino que también hubo muchas personas que tomaron un vuelo para ir a ver mi show. Con mucho cariño hice un show que no solo le brindara a la audiencia crecimiento, sino que también brindara una dosis de entretenimiento, por lo que estuvieron invitados artistas y personalidades que hicieron un show variado. El evento en el Coca Cola Music Hall terminó siendo un lleno total ante más de 4000 personas, y me convertí en el primer orador puertorriqueño en lograr esa hazaña.

Yo pude haber buscado cualquier excusa para no continuar con la meta. Empecemos porque en mi mente no existían las credenciales o logros para asumir semejante reto; y número dos, había una barrera a la entrada, y era que no encontraba una sede. Por tanto hubiese sido sumamente fácil buscar una excusa para que esta meta no se materializara.

También puedo hablar de cuando comencé a hacer contenido en el 2018, cuando no tenía absolutamente ninguna experiencia operando una cámara y mucho menos utilizando un programa para editar los videos. Cuando renuncié al ejército sentí un vacío que no podía describir. Todo se reducía al contacto que dejé de tener con mis soldados, este me daba propósito, y cortarlo de la noche a la mañana me hizo daño. Ciertamente puedo decir que luego de esto caí en una pequeña depresión que no podía explicar.

Decidí comenzar a compartir conocimiento y a agregar valor, sin un fin en especial, solo quería que mi voz llegara a hogares de personas a los cuales pudiera brindar palabras de aliento. Muchas veces, en la intimidad de mi hogar, fueron videos de Daniel Habif, Tony Robbins, Les Brown y Jim Rohn los que me sacaron de lugares oscuros y sirvieron de herramienta para vencer situaciones; y aunque inicialmente no pensaba que tenía la virtud de lograr algo similar, el tiempo me demostró que mi peor enemigo siempre habitó entre las paredes del hogar, y lo miraba todos los días en el espejo.

Decidí ponerle fin a esa voz interior, me fui a Best Buy y compré una Cannon T7i, descargué un programa de edición de videos llamado Final Cut pro, busqué en YouTube un tipo que se llamaba Peter Mckinnon, y en tiempo récord aprendí a utilizar mi cámara y a editar mis videos de tal manera que no pareciera que un niño de nueve años fue quien lo editó. Comencé a subir videos a una semana de haber comprado mi cámara, y para mi sorpresa a la gente le gustaban mis videos.

Cumplo con recordarte que era el tipo al que nada le salía, y quien aún no había descubierto cuál era su llamado o talento, si alguno tenía. Aquí es donde todas las oratorias del ejército comenzaron a pagar dividendos, y nació mi pasatiempo como orador y creador de contenido. Todavía lo considero un pasatiempo, y creo que esa es la razón por la cual no me cuesta trabajo hacerlo todos los días. Hoy puedo decir que son alrededor de cinco años que he descubierto mi propósito, y eso se lo debo a un salto de fe que di cuando era más que evidente que no estaba listo.

¿De cuantas cosas te has privado porque piensas que debes esperar "el momento indicado"? Esa es una buena pregunta que hacerle a alguien que hace cinco años quería comprar una propiedad, pero no la compró porque su mejor amigo, que es experto sacándose los mocos, le dijo que "todavía no era el momento indicado para comprar una propiedad porque el mercado iba a cambiar y en unos meses las propiedades iban a bajar de precio". ¿Vas a seguir haciendo lo mismo? Imagina que pudieras regresar en el tiempo, al 2009 para ser exacto, y pudieses comprar Bitcoin por fracciones de un centavo sabiendo lo que sabes hoy. ¿Comprarías?

¿De cuantas cosas te has privado
porque piensas que debes esperar
"el momento indicado"?

Sé lo que estás pensando: "Claro, pero en ese entonces no sabía lo que sé hoy". Así es, y tengo noticias para ti... nunca podrás predecir el futuro, si fuese de esa manera ya no habría más espacio para tantos billonarios en la faz de la tierra, y lamentablemente ese no es nuestro panorama. Todas las decisiones que tomes en la vida requieren de un salto de fe, y la incertidumbre es parte de la ecuación. En el arte de cantar las verdades como las veo, comienzo por decirte que "esperar el momento correcto" es otra de tus excusas cotidianas por tu falta de inacción o uno de tus temores que tienes que comenzar a encarar. Cada vez que tomas la decisión de esperar el momento correcto, dejas que las horas pasen, los días pasen y sigues procrastinando algo que no debes aplazar. Un buen futuro no debe ponerse en juego a expensas de la falta de valentía para tomar una decisión.

ENTONCES, NO SE TRATA DEL MOMENTO, SINO DE TU DECISIÓN

¿Verdaderamente piensas que los emprendedores más grandes que hemos conocido esperaron el momento correcto? Una de las comunicadoras más grandes que hoy conocemos, tuvo una niñez sumamente difícil, pero logró conseguir un trabajo en una estación de radio cuando aún estaba en escuela superior. Con tan solo 19 años se convirtió en la copresentadora de las noticias de un canal local. La dedicación la llevó a ser anfitriona de un programa de entrevistas, y sin pensarlo, viendo una oportunidad, lanzó su compañía de producción. En el 2008 esta dama estaba generando un estimado de 275 millones anuales. Seguro que ya sabes de quién se trata, estoy hablando de la gigante de las comunicaciones, Oprah Winfrey, cuya fortuna al día de hoy se estima en unos 2.5 billones de dólares.

Ralph Lauren, recién salido del ejército, comenzó a trabajar para Brooks Brothers, una compañía de moda, y se preguntó si los hombres estaban listos para algo menos aburrido y más colorido cuando se trataba de corbatas. Ese mismo año Ralph decide comenzar con su compañía de venta de corbatas, y en su primer año vendió más de medio millón de dólares en mercancía. El año entrante fundó la mundialmente reconocida compañía Polo Ralph, que hoy está valorada en 7.2 billones de dólares. Su consejo para emprendedores nuevos es curioso: "Tienen que crear algo de nada, el mundo está completamente abierto a nosotros. Cada día es una oportunidad que tenemos para reinventarnos".

Hay varias cosas con las cuales no concuerdo con Steve Jobs, esto es en base a los testimonios que he leído de algunos de sus empleados. Se dice que el tipo no comía cuentos, y que si tenía que hacer sentir mal a un empleado para que entienda su punto y completar su misión lo hacía. Pero es meritorio que hablemos de algo, y es de la visión de este tipo. Steve Jobs y Steve Wozniak estaban tan seguros de su negocio, que se fueron de la universidad para empezar a operar su negocio desde el garaje de sus padres en California. Desde allí producían dispositivos computarizados. Steve Jobs adquiere experiencia gracias al trabajo que hizo con Hewlett Packard a la edad de 13 años. Junto a Wozniak logran conseguir $250 000 para financiar su coorporación.

Lamentablemente Steve Jobs falleció en 2011 por cáncer en el páncreas, y al momento de morir, se estima que su fortuna estaba valorada en 10.2 billones de dólares. El impacto de Jobs puede ser medido en distintas maneras, desde sus logros económicos hasta todos sus logros en la tecnología gracias a Apple. A Jobs incluso lo sacaron de su propia compañía, para después verse obligados a restituirlo, porque sin él se estaba hundiendo el barco. ¿Su consejo a los emprendedores? "Persevera cuando los tiempos sean difíciles, la vida te lanzará algunos ladrillos, pero es sumamente importante que no pierdas la fe".

Richard Branson en algún momento fue catalogado como el tipo más bruto de su escuela. Yo me pregunto donde está la persona que comenzó esa narrativa y de cuántos trabajos lo han despedido, pero ese es otro tema. En 1966 Richard Branson comenzó lo que era el "Student Magazine". Ante un montón de revistas que eran aburridas y que les faltaba carácter, presta atención y piensa en algo que tienen en común todos estos emprendedores, logró identificar una necesidad y desarrolló algo para satisfacer esa necesidad.

El problema con mucho "joseador" (¿recuerdas el término?) de hoy en día es que hacen las cosas al revés, quieren hacer primero el producto o servicio, y luego determinar si en el mercado existe la necesidad para el mismo, por eso es que muchas veces terminan con un inservible negocio en la basura. Richard estaba corto de dinero y logró conseguir lo que hoy sería el equivalente a $1500 para publicar varias ediciones más de su revista y cubrir sus deudas. Ese era el empuje que necesitaba, y consiguió que su revista fuese un éxito rotundo entre los jóvenes.

"Persevera cuando los tiempos sean difíciles, la vida te lanzará algunos ladrillos, pero es sumamente importante que no pierdas la fe"

Hoy por hoy es el dueño de Virgin Records, tiene unos cruceros espectaculares y dice que será la primera compañía de turismo espacial con Virgin Galactic. Este caballero tiene una fortuna estimada en 4.2 billones de dólares y tiene una postura sumamente interesante para los emprendedores que están comenzando. Hoy día existen demasiadas herramientas para levantar capital como *crowdfunding* (financiamiento a través de donaciones de usuarios), programas de "startups" (nuevos negocios emergentes que usan nuevas tecnologías) en los bancos, entre otras. Branson piensa que debes comenzar sin importar que tengas o no tengas el capital para comenzar. Hay que emplear todos los recursos disponibles al momento, así sean escasos, y después preocuparse por levantar el capital, no al revés.

Después de haber discutido todos estos ejemplos, ¿entiendes la importancia de comenzar hoy? ¿Entiendes por qué el comenzar "cuando el momento sea el indicado" solo era una excusa para no tomar acción todo este tiempo? Comienza hoy, comienza a emplear el hábito de tomar pequeñas acciones que te acerquen cada vez más a tu meta. No procrastines un día más, descifra cuál es el motivo de esa procrastinación, llega a la raíz de ese problema y trabájalo.

No existe razón por la cual el momento correcto sea mañana, no hay excusa para que sigas posponiendo tus metas, se empieza hoy y no importa cuando se termine, incluso no importa si terminamos, porque puede que nuestro cometido sea vitalicio, pero tiene que comenzar hoy y eso no es negociable, querido campeón. Siempre habrá un motivo, una excusa, un temor que se interponga; y si eres como yo, me gusta hacer las cosas de golpe, pero reconozco que esto es algo que muchas veces me ha restado y no lo recomiendo. Comienza con la cantidad de esfuerzo que sea, pero comienza.

CAPÍTULO 6

SÉ EL MEJOR CONSERJE

Al hombre que hace más de lo que le pagan,
pronto se le pagará más de lo que hace.
—NAPOLEON HILL

"Así vayas a coger una escoba para barrer, procura ser el mejor usando esa escoba".

Esas fueron las palabras que escuché de mi papá desde muy temprana edad. Este fue mi modelo a seguir desde chico. Mi viejo era un tipo muy trabajador y maniático, un perfeccionista en esencia. Cuando digo "perfeccionista" te hablo de un tipo que en un *car wash* le quita la esponja de las manos al empleado porque él piensa que su trabajo no está bien hecho. Creo que parte de lo que facilitó que yo tuviese éxito en la milicia y me acostumbrara tan rápido, es que me crié con un militar sin uniforme. Mi papá siempre quiso irse a la milicia, pero mi mamá siempre se opuso a la idea de que mi viejo se fuese al ejército, así que nunca lo vio como opción, porque a costas del matrimonio nadie toma una decisión así de la noche a la mañana.

Mi papá trabajó durante 23 años para una compañía como chofer de vehículos pesados, le dio una vida entera a la empresa para que al final no le dieran ni las gracias por su servicio. Eso es parte de lo que me enoja de nuestro sistema tradicional de empleos. El primer emprendimiento que recuerdo de mi papá era hacer brillar aros de autos. Con varias lijas marca 3M y largas horas de dedicación y esfuerzo, mi papá podía pulir cualquier superficie de metal y convertirla en un espejo. Se volvió muy conocido en el barrio por esto y lo buscaban frecuentemente. Esto era más un pasatiempo que un negocio serio. A mi papá realmente le gustaba hacerlo y comenzó haciéndolo con los aros de su carro, después vio la oportunidad de hacerlo para otras personas, pero nunca fue algo formal. Cuando yo tenía once años, vi a mi papá emprender en un nuevo rumbo: había tomado la decisión de comenzar a mojarse los pies con un negocio.

Escogió el negocio de las máquinas expendedoras, que también se les llama "vending". En aquel momento él solo tenía un Datsun viejito que llenaba hasta la capota de mercancía, tanto así que hasta manejar se le dificultaba un poco. Desde ese momento vi en mi papá una ética de trabajo que no había visto en muchas personas. Mi papá continuó su trabajo como chofer de vehículo pesado a tiempo completo mientras trabajaba con su negocio al salir de su trabajo. Esto era posible ya que su trabajo como camionero era de madrugada, y a más tardar a mediodía ya estaba fuera.

Los días eran eternos para mi papá ya que fácilmente trabajaba alrededor de veinte horas al día, descansaba cuatro horas y al otro día se repetía el ciclo. Este fue su tren de vida por casi quince años, algo que no nos permitió compartir muchos momentos como familia; pero yo entendía que el propósito era más que claro. Su cometido era sacarnos del barrio y darnos una calidad de vida que nunca pudimos tener; y estaba dispuesto a sacrificar muchos años de su vida para que esto fuera una realidad.

Esto definitivamente no lo entendí de manera inmediata, por muchos años lo resentí hasta que tuve la capacidad de entender. Entonces me puse en sus zapatos y me hice cargo de su negocio por unos años. Ser emprendedor viene con un sinnúmero de sacrificios, y a mí en lo personal me da risa cuando alguien dice que emprenderá para ser libre. No es que no lo lograrán, es que no sucederá sin antes pagar el precio, y en el caso de mi familia ese precio se pagaba a diario. Cuando comencé a trabajar con mi papá a temprana edad, me di cuenta lo perfeccionista que era. Mi papá siempre me decía que la única manera de separarnos de la competencia era siendo excepcionales en la ejecución de el servicio de ese negocio. Él estaba muy seguro de su capacidad y sabía que con la calidad de su servicio y sus productos podía incrementar la ganancia bruta en un 30 % como mínimo.

Me parecía fascinante ver las máquinas de mi papá y poder identificar su superioridad al momento. Mi papá trabajó como camionero durante quince años simultáneamente con su negocio. Quería estar tan seguro que su negocio estaba listo para sostenerlo, que lo prolongó durante todo ese tiempo. Pienso que si no me hubiese ido al ejército, mi papá probablemente todavía estuviese en su antiguo trabajo. Nuestra mentalidad es distinta en ese sentido, yo tomo saltos de fe a menudo, él es mucho más conservador a la hora de tomar un riesgo.

De mi padre siempre tuve el ejemplo de excelencia, dedicación, ética de trabajo y disciplina; y eso marcó mi vida por siempre. El desempeño mediocre es la razón por la cual muchos negocios fracasan, y otros, pese al desempeño mediocre, se sostienen por obra y gracia del Espíritu Santo. Seamos honestos, todos hemos ido a una cadena de comida rápida en la cual nos han atendido como si hubiésemos insultado a la madre del empleado, algo que al menos a mí me pone a pensar, porque no fui yo quien escogió estar ahí, así que no veo razón por la cual un cliente tenga que pagar los platos rotos, y esta actitud se nota.

El trabajo es honra, lo que no es honra es que trates mal a las personas porque no te sientes a gusto con las condiciones que tú mismo has creado para tu vida. En un discurso de Steve Jobs, menciona una razón que es la responsable de que muchas personas renuncien a una meta o un sueño. La razón es simple: demasiadas personas haciendo algo que no les apasiona, o no hacen lo que en su mente es un trabajo a su altura, o peor aún, no andan en la búsqueda de aquello que puedan hacer y que signifique este trabajo a su altura. Es una locura tratar de vivir haciendo algo que no te llama la atención y no te gusta, ¡nunca serás bueno haciéndolo!

"El desempeño mediocre es la razón por la cual muchos negocios fracasan"

Siempre que le preguntaba a mi mamá por qué la comida le quedaba tan buena, su respuesta sin pensarlo era: "porque lo hago con amor". En aquel entonces pensaba que mi madre solo estaba diciendo eso para no darme una respuesta más compleja; pero hoy entiendo cuánta razón tenía mi madre. Todo lo que se hace con amor y dedicación queda muy bueno. Cuando me nombraron supervisor en el USPS (United States Postal Service) mi desempeño era verdaderamente bueno, no solo por la cantidad de horas trabajadas, también por la calidad del trabajo que hacía. En solo un año y medio escalé peldaños en la compañía y fui gerente de tres estaciones distintas. El trabajo que estaba haciendo me llevó a lograr lo que muchos empleados no logran en una carrera entera como miembros de la gerencia, pero poco a poco eso fue cambiando. Fui perdiendo la motivación porque mi corazón no estaba ahí, y fui viendo cómo mi desempeño continuó disminuyendo. Incluso el camino hacia mi trabajo me pesaba, no era feliz.

¿Cuántas cosas has hecho sin pasión y has logrado tener algún tipo de éxito en ellas? Puede que la respuesta sea "ninguna" y en el caso de que esa sea la respuesta, al menos ya tienes un indicador de algo que hay que arreglar. Si encuentras que has tenido éxito haciendo algo sin pasión, ¡imagina cuánto éxito tendrías si encuentras lo que te apasiona y le dedicas todo tu esfuerzo! Es difícil encarar nuestros demonios y entender en términos sencillos que llevamos mucho tiempo con un desempeño mediocre. Si eso hiere tus sentimientos, búscate una servilleta, sécate las lágrimas y con otra sóplate la nariz, que nadie le vas a dar pena. Luego de eso tienes dos opciones: seguir siendo un mediocre, o subir tu nivel y convertirte en el alma letal de lo que te apasiona.

El "¿cómo?" viene del "¿por qué?", no es al revés. Por eso es que tu propósito debe ser sólido, porque no importa cuál sea el obstáculo, siempre irás tras tu propósito. Las herramientas importan, pero no importan más que la destreza. Puede que esto no aplique en todos los campos, pero hay algunos campos en los cuales esto es clave. Por ejemplo, si eres videógrafo y piensas que tu destreza va a aumentar de manera exponencial porque gastaste mucho en la cámara y los lentes, te sorprenderás al ver que alguien con más destreza que tú y menos equipo hará mil veces mejor trabajo de lo que hiciste. Un mejor palo de golf no te hará mejor golfista, mejores guantes no te harán mejor boxeador, y así sucesivamente. Con esto no quiero que pienses que la narrativa es que no inviertas en equipo, más bien enfócate en pulir tus destrezas, convertirte en un especialista y después podemos invertir en equipo o herramientas buenas.

La razón principal por la cual pulir tu destreza ha de ser lo más importante en la lista, es porque tu seguridad vendrá de un factor interno, tu seguridad vendrá de ti. Me puedes dar el bate de beisbol más caro en la fábrica y Francisco Lindor va a seguir siendo un beisbolista de grandes ligas que me barrerá sin importar cuantas herramientas yo quiera utilizar. Abraham Lincoln dijo "dame seis horas para cortar un árbol y pasaré las primeras cuatro afilando el hacha". Nuestra destreza siempre va primero. Debemos crear las condiciones para requerir más de nuestra destreza y ponernos en una posición de cuidado para ver de qué estamos hechos.

Abraham Lincoln dijo "dame seis horas para cortar un árbol y pasaré las primeras cuatro afilando el hacha"

La zona de confort nunca ha creado un carácter osado, la complacencia no ha inspirado a nadie, por tanto debes crear las condiciones idóneas para que tus destrezas sean puestas a prueba. Las oportunidades no "llegan" para nadie, más bien son creadas, nos posicionamos de cierta manera para que se den esas oportunidades y tomamos acción cuando por voluntad propia hacemos que se presenten.

Hay varias cosas para tomar en consideración mientras buscamos la excelencia en nuestro campo:

1. No te copies de nadie

Si vas por ahí siendo una copia barata de algo, no auguro mucho éxito en lo que quieres hacer. La idea es que eleves tanto tu nivel, que le cueste trabajo a la gente llegar a él. Nunca será la idea que tú bajes a su nivel. El trabajo que expongas al mundo habla de ti, si proyectas algo que no eres, tarde o temprano las personas se dan cuenta. El mercado vomita lo que no es genuino, sobre todas las cosas debes ser la mejor versión de ti, no de otra persona. Hace unos 19 años había un comediante llamado Carlos Mencía, que estaba arrasando con el mundo de la comedia. Pintaba ser una gran estrella si seguía por el camino que iba. Poco a poco fueron surgiendo rumores de que Carlos Mencía estaba robando bromas de otros comediantes, pero en ese momento pasaron desapercibidos por alguna razón.

En una presentación en el Comedy Store en el 2005, todo daría un giro inesperado para Carlos. Joe Rogan, otro comediante que estaba en el local, con el aval de otros comediantes que también estaban en el lugar, acusaron a Carlos Mencía de robar bromas. Carlos después se subió a tarima con Joe para una dinámica que no le favoreció y terminó discutiendo al frente de todo el público. Este suceso le costaría a Joe Rogan su relación con el Comedy Store, ya que fue vetado permanentemente del local; pero a Carlos Mencía le costó mucho más: su reputación y su carrera. Desde ese entonces Carlos no volvió a ver el éxito que una vez tuvo. Tratar de ser alguien que no eres es escoger el camino de otra persona, no el tuyo; y puede que al tomar ese camino llegues a un lugar equivocado. Este es un extremo ya que estamos hablando de plagio, pero piénsalo cada vez que se te ocurra ser la sombra de alguien que no eres.

2. Enamórate del proceso

Tenemos una fijación con el resultado. Queremos que suceda algo en específico, y sin darnos cuenta moldeamos lo que estamos haciendo para acomodar un resultado. Si lo que quieres es el éxito económico, que es lo que el 99 % de las personas persiguen, el problema más grande que tienes es que cuando no tengas resultados por un periodo extendido de tiempo, tu fuerza de voluntad irá disminuyendo. Donde se separan los niños de los adultos es cuando tienes las ganas de seguir haciendo algo por un periodo indeterminado de tiempo, pese a no ver absolutamente ninguna remuneración económica, y si eso es lo único que te mueve, tus días puliendo tu destreza están contados.

El resultado llegará fácil no porque lo sea, llegará fácil porque no estás pensando en él. Enamorarte del proceso implica muchas cosas, entre ellas aceptar críticas, mentoría y guía de personas que tienen más experiencia que tú en el campo, es vivir en introspección, analizando cuáles son las cosas que puedes y debes mejorar. Tu círculo inmediato importa, porque en este proceso no debes rodearte de porristas que te aplaudan cuanta basura hagas, necesitas rodearte de amistades que no tengan miedo de decirte cuando algo tal vez no está al nivel que debe estar. Algo que me ha ayudado a enamorarme del proceso es entender que mi propósito es más grande que yo. En esencia, mi plato y cuchara no son herramientas para alimentarme a mí, son herramientas para alimentar a otros seres humanos.

3. Recuerda, en primer lugar, por qué comenzaste

Esta última tiene dos vertientes. La primera es aquel al que se le olvida por qué comenzó; y como en muchas historias, así como la de Bernie Madoff, piensa que cortar camino para lograr su cometido es la mejor opción. Ya sabemos cual es el desenlace triste de esta decisión: en muchas ocasiones perder cosas que no estabas dispuesto a perder por lograr algo. Si no estás listo para tener que renunciar a algo, ya sea tu libertad, tu bienestar económico y hasta tu pareja, entonces no te pongas a llorar con circunstancias en las cuales puedes verlo todo perdido.

La otra vertiente es cuando ya lo has logrado, cuando ya obtienes eso que tanto esperabas. Allí comienzas a ponerte complaciente y se te olvida por qué comenzaste, no tenías esa razón bien definida, tatuada en tu alma. En el ejército, cuando los soldados van a la guerra, los primeros meses todos los protocolos de precaución son seguidos al pie de la letra, no hay una sola falla. A medida que van pasando los meses y no ha ocurrido ninguna tragedia, el soldado se pone cómodo y piensa que nada malo ocurrirá porque así ha sido por un largo tiempo.

Entonces en un abrir y cerrar de ojos el soldado baja la guardia, ya no sigue protocolos de seguridad, como una vez lo hizo, y pasa lo que nadie quiere, la tragedia lo toca de cerca y muere alguien del equipo. Aunque suene extremista, el pensamiento de "esta es la nueva norma y nada va a suceder", debe ser uno de los pensamientos más dañinos en cuanto a autodesarrollo se refiere. Nunca olvides por qué empezaste.

EL QUE DA EL PRIMER GOLPE, PEGA DOS VECES

Si queda alguna duda en tu mente voy a darme el trabajo de disipar esa duda. Yo era la burla del grupo cuando crecía. La escuela para mí no fue fácil, a veces parecía que se habían perdido dos bofetones sin nombre y al primer pendejo que veían para ponerle el nombre del que se llevaba los golpes era yo. Pasé por varias experiencias malas en la escuela elemental e intermedia, pero le perdí el respeto al altercado físico, cogí unos guantes de boxeo y el resto es historia. Increíblemente, muchos años después, la vida me dio la oportunidad de vivir la experiencia, pero esta vez a través de mi hijo.

Mi hijo es un niño sumamente cariñoso, un niño que orgullosamente puedo decir que ha vivido todas sus etapas. Disfruta los videojuegos, es un coleccionista de cartas y siempre está apto para divertirse. No todos los niños son criados de la misma manera, esto fue gracias a su entorno, a su familia y otros factores. Gracias a la pandemia, los niños en Puerto Rico tuvieron un año completo de educación en línea, y para Mayson fue su año de Kinder, un año sumamente importante en su desarrollo. Pasamos esa osadía sin contratiempos. Aunque hubiese sido mucho mejor que se diera de manera presencial, la realidad es que estuvo listo para ir a primer grado sin problemas. Lo que yo sabía que iba a ser muy difícil, era incorporarlo con otros niños en un salón de clases normal, ya que era una dinámica que hasta el momento él no había experimentado.

Las primeras semanas yo notaba que algo estaba raro en el comportamiento de mi hijo, su ánimo no estaba como debía estar al salir de la escuela, y como era de rutina, hablamos. Me rompió el alma enterarme de que ya en primer grado mi hijo tenía que lidiar con un pequeño que no podía controlar sus impulsos y le pegaba. Yo esperé, porque todos sabemos que a veces los niños le añaden su dosis de exageración a las historias, pero, en efecto, era real, y no solo era con mi hijo, también era con otros niños de su salón. En todo momento el mensaje para Mayson siempre fue que una vez que eso sucediera, buscara ayuda de un adulto, que se lo dijera a alguien; y mi hijo me dejó saber que así lo estaba haciendo, pero muy pocas veces hacían algo al respecto. Llegó a tal punto la situación que no encontré más remedio que decirle a mi hijo que en algún momento tendría que defenderse para que esto no siguiera sucediendo.

Al menos se lo dije distinto a como me lo decían a mí. Yo escuchaba "si llegas a la casa con un ojo hinchado, y cuando yo vea al chamaco él no tiene un ojo hinchado también, yo te voy a hinchar el otro". Mi hijo siempre ha sido el niño más grande de su salón, y su respuesta fue lo más que me dolió: "Papá, es que soy más grande que él y no quiero hacerle daño". Este es el dilema de criar un niño con buen corazón en este mundo tan duro en que vivimos. Él ya tiene ocho años y practica taekwondo como su hobby y como herramienta de defensa personal. Le encanta y hasta el momento no ha tenido que volver a lidiar con algo similar, su nivel de perspicacia ha cambiado. Hoy es mucho más alerta y he podido ver cómo ha enfrentado situaciones con iniciativa, opera en ofensiva en lugar de defensiva.

"El que da primero, da dos veces" era el refrán usado en el barrio. Esto se refiere a que en una pelea había que estar en ofensiva y golpear al contrincante antes que el contrincante te golpeara a ti. En el mercadeo existe un término llamado reciprocidad. Esto es sencillo, siempre ofrecemos valor de antemano sin buscar nada a cambio, y en el caso de que tengamos que pedir algo de retorno, a quien le brindamos ese valor ya se siente en deuda, y eso resulta en el éxito de esa transacción.

Un niño que se porta bien sabe que la buena conducta puede repercutir en algo positivo, y la mala conducta en algo negativo si así se le demuestra. La reciprocidad en un producto o servicio nos brinda dos herramientas clave, número uno, cercanía con la comunidad, y número dos, datos para utilizar en una potencial campaña en el futuro. Esto no es una estrategia basada en conjeturas y suposiciones, lo mismo ocurre en psicología, y para entender ese principio se debe estudiar el comportamiento y la motivación de los individuos al ser empleada.

Compañías como Spotify y Amazon emplearon el periodo de prueba libre de costo para las personas que se están suscribiendo a su servicio por primera vez, y fue un éxito total. Es como ir a un concesionario y pedir que te dejen probar el vehículo antes de comprarlo. Una estrategia como esta le permite al cliente tener una prueba de cómo será el servicio una vez que lo adquiera; y algo que muchas de estas compañías hacen es pedir la información de pago del cliente, para que automáticamente, después de ese periodo de prueba, el primer mes sea cobrado.

Los seres humanos son medio vagos por naturaleza, y las probabilidades de que cancelen el servicio una vez que lo adquieran, son escasas. Si no me crees, pregúntales a todas las personas que pagan la membresía de un gimnasio que no visitan hace más de tres años. Dropbox tiene un programa de referidos sumamente conveniente, en el cual los usuarios pueden recibir más capacidad en su nube al referir nuevos usuarios, y el usuario referido también recibe espacio extra una vez que escoja el servicio. Las perfumerías dan muestras de sus perfumes, los restaurantes de comida asiática en los centros comerciales dan muestras de su pollo a la naranja con el mismo fin, todo gira en torno a la reciprocidad.

Agregar valor no es una ciencia. Te doy ejemplos claros de cómo se practica la reciprocidad en el caso de estas compañías, pero no hay una regla detrás de agregar valor. Yo estuve creando contenido desde el 2018, tratando de agregar valor en la manera que encontraba durante cuatro años sin requerir nada en absoluto por ese valor que estaba agregando, porque así debe ser. Cuando las personas notan que descaradamente estás buscando venderle, se ponen a la defensiva, ya están esperando el cierre, y eso los predispone. Es como ir al centro comercial y pasar al lado del kiosko de los perfumes en aceite. Los vendedores son muy incisivos a la hora de mostrarte su producto, de manera que pasas por junto a ellos mirando tu celular sabiendo que no estás leyendo nada; o también los evades yendo por el otro lado del pasillo.

Pasa mucho con las relaciones de mentoría. Las personas piensan que encontrar un mentor es tan fácil como preguntarle a la persona si puede ser su mentor. Eso es como ir al aeropuerto y preguntarle a un extraño si puede ser tu amigo. ¿Sería raro, no? Pues así mismo son las relaciones de mentoría, se nutren, y muchas veces no has logrado obtener esa relación de mentoría porque no te has dedicado a nutrirla para que en algún momento florezca y puedas llamar a esa persona mentor. Pregúntate "¿de qué manera puedo aportar valor a la vida de esta persona? ¿Qué traigo a la mesa para él? ¿En qué le beneficio?". Estar en ofensiva requiere de mucha intención, y vivimos rodeados de muchas personas que son reactivos en lugar de ser proactivos.

Dar ese primer golpe, no es ir como vendedor desesperado a cerrar el negocio de entrada, dar el primer golpe implica que reconozcas todas las avenidas posibles, para después hacer tu movida y darle jaque mate a tu adversario como si fueras Bobby Fischer. Agregar valor sin recibir nada a cambio es un arte que no todos poseen. Muchos te venden la idea de que quieren crear una comunidad, cuando realmente solo quieren clientes. Parte de agregar valor también implica en ocasiones dejar dinero en la mesa. Un negocio puede caerse si al fin del día el cliente no recibió el valor que le dijeron que iba a recibir.

Andy Frisella abrió una tienda de suplementos y su mayor éxito vino después de casi 13 años de operar su tienda de suplementos. ¿Cuál era una de las filosofías de Frisella? A veces tenía que dejar de ganar por aconsejar a un cliente lo que le hace mejor. ¿Para qué venderle un producto de pérdida de peso a un cliente que sabes que no está haciendo dieta ni ejercicio? Sabes que no le funcionará, y ese cliente creerá mucho más en ti si le informas que venderle ese producto en el momento no sería ético. Puede que hayas perdido la venta en ese momento, pero ganaste la confianza de ese cliente, y en un futuro te comprará, y recomendará tu negocio a otras personas.

Imagina vivir en un mundo donde las personas están más enfocadas en lo que van a aportar que en lo que van a recibir. Si las relaciones de negocio fueran simbióticas, habría menos rupturas en las sociedades. Aunque no se reciba un beneficio económico al instante, debe haber algún tipo de beneficio para que exista longevidad en esa relación de negocio. Aunque exista una explicación psicológica para la reciprocidad, tengo que decir que el mundo trabaja de manera extraña, y hay cosas que a veces no se pueden explicar.

"Imagina vivir en un mundo donde las personas están más enfocadas en lo que van a aportar que en lo que van a recibir"

¿Qué energía es la que estás exponiendo al mundo? ¿Una de carencias y necesidades? Desde mi punto de vista, el karma va mucho más allá de ser una ley en el hinduismo, es un estilo de vida que muchas personas nunca entenderán. Lo mismo sucede al cultivar una relación, sea cual sea. Si uno de los dos individuos solo está enfocado en lo que va a sacar de la relación y no en lo que aporta, es inevitable que se cree un desbalance. Todos hemos escuchado alguna historia de un ser humano que obró de mala manera y sus acciones regresaron a atormentarlo, luego escuchamos a algún familiar decir "eso le pasa por hijueputa". Nunca falla.

La estrategia para dar el primer golpe

El boxeo es comúnmente conocido como "la dulce ciencia". ¿Cómo un deporte que "solo" requiere que aprendas a utilizar tus manos y usarlas como armas puede ser algo complejo? A diferencia de las artes marciales mixtas, un boxeador solo debe estar pendiente de las manos del otro, no hay codazos, no hay patadas, no hay rodillazos, solo hay manos envueltas. ¿Debe ser más sencillo, cierto? Aunque entiendo este argumento, hay una razón por la cual un boxeador que hace la transición a las artes marciales mixtas, tiene una ventaja en contragolpeo: lo ha estudiado a fondo, a diferencia del peleador de artes marciales mixtas.

Hay mucha estrategia detrás de una pelea de boxeo, desde la conferencia de prensa en la cual los boxeadores están tratando de sacar del juego mental al otro boxeador, hasta trabajar su poder, agresión, velocidad y plan a ejecutar encima del cuadrilátero. Saben emplear la virtud de la paciencia, encuentran faltas en su oponente que tal vez no vieron al estudiarlo durante su campamento, y muchas veces hacen ajustes porque no contaban con ciertos recursos que ese peleador poseía. Así como "la dulce ciencia" es un juego de estrategia, paciencia, compostura y balance, así mismo es el arte de conectar ese primer golpe agregando valor, así que dividámoslo en tres categorías: entretenimiento, educación y conveniencia.

Entretenimiento

Amo la comedia. La comedia es una manera de reírme de todas las tonterías que me pasan a diario. Casi siempre hay daño colateral en el *stand up*, porque nueve veces de diez hay una víctima en el sketch, ya sea de una sátira, un chiste, sarcasmo o todas las anteriores. No hay una manera más saludable de lidiar con la cotidianidad de la vida que riéndote de las vicisitudes de ella, y en mi mundo el entretenimiento juega un rol.

Hacer reír a las personas es un don que no todo el mundo tiene, así que no estoy aquí diciendo que debes convertirte en el próximo Dave Chapelle, porque no lo eres, pero se le puede añadir un toque de entretenimiento a la manera que hacemos contenido. Sea cual sea la destreza a la cual quieres dedicarte, tienes que hacer contenido vía redes sociales. La narrativa cambió hace mucho tiempo y los medios tradicionales de comunicación han perdido terreno. El que no esté dispuesto a ajustarse al cambio tiene que vivir con quedarse rezagado y no evolucionar en esta era del contenido digital.

Tienes que subir contenido, y no solo subirlo, sino hacerlo constantemente y a la mayor cantidad de redes sociales que sea posible. Uno de mis socios, Yamil Rojas, tiene un talento especial en conectar con la audiencia. Uno de sus restaurantes en Puerto Rico, llamado Musa, es conocido en redes sociales por tener un contenido jocoso, que muchas veces apela a cosas que estén pasando en el momento, ya sea en Puerto Rico o el mundo, y hacer publicaciones sumamente graciosas que tienen el elemento de viralidad casi de manera instantánea.

Cuando subimos contenido entretenido a las redes sociales nos aseguramos de varias cosas. Para comenzar, es un recordatorio a quienes ya nos siguen de que seguimos estando ahí. Si eres un establecimiento, le recuerdas que hace tiempo no te visita; y si provees un servicio, le recuerdas que hace tiempo no lo utiliza. La otra área que cubrimos es el alcance, una publicación viral puede lograr grandes cosas para un negocio.

Hace algunos meses trabajé un contenido para una tienda de ropa "vintage" que se llama *Uncommon*.

Esta tienda tiene un proyecto muy bonito que se llama "Uncommon para la comunidad", en el cual donan recursos a personas que lo necesitan, desde ropa hasta dinero en efectivo. Es algo que a veces muchas personas hacen con muy pocos recursos, y no se le da el reconocimiento que amerita.

Al principio lo pensé porque soy de los que hacen algo con la mano derecha y no se lo cuentan a la mano izquierda, lamentablemente vivimos en una sociedad que juzga y piensa que si haces algo y comunicas lo que hiciste no fue de corazón, lo estás haciendo por "likes" y por "views". Ese pensamiento errado es el que hace que menos personas publiquen el bien que hacen. Desde el punto de vista de influencia, es inaudito que no se publique un bien, ya que hay demasiadas personas publicando morbo y estupideces, esto hace que otras personas lo emulen y se siga perpetuando ese morbo. En cambio, si decidieramos publicar todo el bien, ¿no piensas que habría más personas tratando de emular esa conducta? En fin, es una batalla interna con la cual he aprendido a lidiar.

Acepté a hacer la pieza de contenido y el plan era que fuéramos a una escuela pública a regalar pizza a los estudiantes. En el proceso de darle la comida a los estudiantes, también hicimos una dinámica en la cual le hacíamos preguntas a los estudiantes, y si respondían bien, premiábamos sus respuestas con dinero. El resultado fue positivo y los videos que se generaron para las redes sociales de esa interacción fueron virales automáticamente. Después de hablar con el propietario de la tienda, me informó que luego de que publicáramos los videos de nuestra colaboración, vendió alrededor de 250 piezas, vendió en 3 días lo que antes le habría tomado 6 meses. Ese es el poder de las redes sociales, el poder del contenido, de aportar valor mediante entretenimiento. Siempre y cuando estemos aportando de manera positiva, esto dará como resultado más ventas. ¡Comienza a entretener tu público cuanto antes!

Educación

Existen entusiastas en todos los campos, desde los que compran autos para la reventa, hasta los que los compran simplemente porque le gusta coleccionarlos. También existen los que compran cartas de Pokemon como Logan Paul, que compró una carta Illustrator PSA 10 por un total de 5275 millones de dólares. A estos entusiastas también les interesa tener conocimiento de su campo, y puede que tú te encuentres entre ellos, como también puede que no seas entusiasta de algo en particular, y eso no quita que tengas el conocimiento para brindar valor en tu campo.

Ya en las redes sociales te conocerán por algo, y no cuesta mucho que tomes la decisión de hacer a tu audiencia más inteligente compartiendo contenido educacional. Como pequeña regla, cada vez que hago un podcast, mi manera de hacerlo interesante es preguntándole a mis invitados cosas por las cuales naturalmente siento curiosidad. De esta manera, cuando conversamos no solo estoy contestando mis preguntas, puede que también esté contestando las preguntas de un sector de mi audiencia. Exactamente eso se debe hacer a la hora de crear contenido educacional.

Sería la peor decisión del mundo escoger algo de lo que no tenemos mucho conocimiento. Hazte la pregunta a ti, y si tienes una respuesta concreta bríndala en forma de contenido para tu audiencia. El conocimiento no tiene precio, y hay muchas avenidas en las cuales se puede monetizar el conocimiento. Aunque tu intención no sea monetizarlo de primera instancia, vale la pena que sepas que en el evento que quieras monetizar el conocimiento y utilizarlo como herramienta tienes esa capacidad.

Conveniencia

Esta area viene después que has añadido el valor, y ya decidiste (o el mundo te mostró) que ese valor será retribuido. Ya parte de tu audiencia se habrá convertido en tus clientes, tendrás un sistema establecido y una base recurrente de ventas que te obligará a establecer y mantener procesos para hacer tu vida más fácil y con menos dolores de cabeza. En algún momento tú también has visitado un establecimiento, o una agencia gubernamental en la cual piensas que muchas cosas pudieran mejorar si prestaran un poco de atención. Existen compañías en las cuales hasta su proceso de compra es complicado, el servicio al cliente una basura, y no existe ningún tipo de conveniencia para el cliente.

Hay que tomar el ejemplo de empresas que han invertido en sistemas que recomiendan al cliente artículos en base a sus preferencias en sus últimas compras, exclusividad en articulos que la persona promedio no recibirá mediante alguna suscripción, muestras de artículos, entre otras cosas. Piensa en cómo brindarle una experiencia de altura a tu cliente, que se sienta en su casa, que quiera volver a traer su dinero a tu caja registradora porque le diste el trato que él merece. Yo he ido a lugares a los cuales pagaría por no regresar, no caigas en la trampa de la complacencia y da la milla extra para agregarle ese valor a las personas que ya convertiste en clientes.

"El conocimiento no tiene precio"

Esta mentalidad requiere un cambio en ti, porque como negociantes estamos condicionados a buscar cuál es nuestro beneficio cuando hacemos algo. "Hay más gracia en dar que en recibir", decía mi madre, y al cabo de los años esta ha sido una realidad innegable. Calibra tu mente para dar el primer golpe, así estarás listo para dar el segundo, y todo ese valor que diste en algún momento sea retribuído.

EL ESPEJO NO VE AL GIGANTE

No todos estamos cocidos por el mismo hilo, nacemos con distintos talentos, debilidades y fortalezas. Nacen genios, personas dotadas y seres que son diferentes en todo el sentido de la palabra. Cuando una persona es buena en lo que hace y lo reconoce, a veces puede que el ego comience a influir en algunas de la decisiones que tome. La manera idónea de controlar este monstruo cuando somos buenos y la gente comienza a reconocer de cierta manera que lo somos, es no creer ninguno de los extremos.

¿A qué me refiero? Hay un refrán por ahí que dice "no eres tan bueno como te dicen, ni tan malo como te dicen", por más bueno que seas en algo, tendrás tu grupo de detractores, y eso es inevitable. Los famosos "haters" deben ser combustible para ti. Aprende a verlo como un indicio de que algo estás haciendo bien, algo bueno estás logrando. Esa dosis de humildad o pies sobre la tierra, como quieras llamarle, será clave para ti. Agradece y recibe los comentarios buenos y malos con neutralidad, ni exceso de aplausos ni exceso de abucheos, solo silencio sepulcral dentro de tu mente.

En lo personal, a mí no me incomodan las personalidades fuertes, y mucho menos cuando tienen talento haciendo lo que hacen. Creo que una personalidad fuerte, segura de sí, siempre incomodará a una personalidad insegura. Hace poco más de un año me senté en mi podcast a tener una conversación con uno de mis artistas favoritos, un tipo que le cae mal a dos o tres por su personalidad, ya que puede que él no sea el tipo más alto de estatura, pero cuando entra al recinto, su personalidad es del tamaño del Burj Khalifa. Hablo de Austin Santos, Arcángel.

En esa conversación, que hasta ahora es la que más vistas tiene mi canal, pasó de todo. Nos reímos, lloramos, pero algo era más que evidente: su personalidad siempre ha sido la misma. En los comienzos de su carrera, esta personalidad le trajo varios problemas a Arcángel. Se puede decir que en algún momento llegó a ser uno de los artistas más odiados en su género. Él estaba tan seguro de su talento, que le resultaba inevitable tirárselo a otros artistas en la cara, su competitividad era innegable. Su carrera asciende al estrellato siendo impulsada por una rivalidad, una guerra lírica que tenía a todos los fanáticos ansiosos por escuchar el próximo "round". Así continuó su carrera, entre dos o tres guerras líricas, desacuerdos y discusiones con otros artistas, entre otras cosas. Eso nos deja claro cuán gigante era Austin, y que él estaba consciente de ello.

Casi todas las personas que son excepcionalmente buenos haciendo algo y tienen los resultados para sustentar lo que están diciendo, tienen personalidades fuertes. Mi boxeador favorito, Floyd Mayweather, tiene una personalidad con la cual el mundo no cuadra mucho, pero es difícil argumentar con los resultados, porque pocas veces estos son debatibles. Los hombres mienten y las mujeres también, pero los números no. Floyd por mucho tiempo fue la personalidad más taquillera de su deporte, y el hecho es que este caballero se retiró del deporte invicto. Para mí es un virtuoso que no volveremos a ver en muchos años.

Personalidades fuertes, ego, arrogancia... hay distintas formas de verlo. Esto dependerá en gran manera de quien lo está viendo. Dicen por ahí que somos espejos. Siendo esto cierto, lo que ves en otra persona y te disgusta, puede ser un reflejo de las cosas que te disgustan de ti mismo.

EL GIGANTE SE MIRA AL ESPEJO

El 8 de Junio de 1977 nació un niño que resultaría ser medio raro, estudioso y sentía afinidad por el arte. Su mamá era maestra, su papá activista en el Partido Pantera Negra y fotoperiodista para el "Atlanta Journal Constitution". Ellos se separaron cuando el niño tenía tres años de edad. Kanye West es un genio musical, un tipo que luchó hasta que al mundo no le costó más remedio que reconocer su grandeza musicalmente hablando. Ye (su nombre actual) comenzó como productor musical, también componía temas para otros artistas. Entre sus logros más grandes en el comienzo de su carrera fue convertirse en el productor de Roc A Fella Records, casa disquera de Jay Z.

> *"Lo que ves en otra persona y te disgusta, puede ser un reflejo de las cosas que te disgustan de ti mismo"*

Kanye tuvo un rol muy importante en darle un sonido distinto a Jay Z en su album "The Blueprint", este es catalogado por muchas personas como uno de los mejores discos en la historia del hip hop. Kanye también trabajó éxitos para artistas como Ludacris, Alicia Keys y Janet Jackson, pero ya sentía que no quería solo ser productor, quería el estrellato, también quería ser artista. Para esta época el "gangsta rap" era lo que estaba teniendo éxito y lamentablemente para Kanye en aquel entonces las casas disqueras no le prestaban atención porque él no tenía esa imagen, y aunque él estaba trabajando con Roc A Fella, no tenía un contrato discográfico con ellos.

Damon Dash, la mano derecha de Jay Z se vió entre la espada y la pared porque no quería que esta máquina de producir éxitos se fuera a otra disquera, se le estaba acabando el tiempo y decidió otorgar un contrato discográfico a Kanye. Damon en esta historia viene siendo el ratón de ferretería, que como no se puede comer los clavos, los orina. Kanye estaba decidido, puso su carrera como productor en pausa y comenzo su transformación en lo que siempre quiso ser: rapero. Nadie le daba sus flores, Kanye corrió el Niágara en bicicleta, fue a todas las oficinas de Roc A Fella para que le prestaran atención a su proyecto, le puso su música a empleados de la disquera, al mismo Damon Dash, y nadie le hacía caso, todavía todas esas personas lo veían como el chico que producía para ellos, no como el artista que en algún momento tenían que lanzar.

En el 2002 Kanye tuvo un accidente que por poco le cuesta la vida. Tuvo su mandíbula amarrada con alambres, pero grabó uno de sus éxitos titulado "Through the wire". Este tema era especial porque Kanye lo grabaría teniendo su boca completamente sellada por alambres, y contaría la historia de su acenso a la fama y su experiencia recuperándose del accidente que le fracturó su mandíbula en tres áreas distintas. Financió el video de este tema para después hacer una actividad en la cual pudiese reunir a todos los ejcutivos del sello disquero y que entendieran el concepto: quería presentar el tema como primer sencillo de su album titulado "College Dropout". "Through the wire" fue un éxito, llegó a la posición número 15 en el "Billboard Hot 100", y esta era la señal que esperaba Roc A Fella, pues despúes del éxito de "Through the wire" invirtieron el capital necesario para lanzar el disco de Kanye. "College Dropout' fue un éxito masivo, y Roc A Fella había encontrado una nueva estrella para su repertorio de artistas.

El documental de Netflix "Jeen-Yuhs", muestra la travesía de Kanye West casi en su totalidad. Fue sumamente creativo e inteligente de parte de Kanye y Coodie Simmons documentar la vida de Kanye tras bastidores mientras su camino al estrellato estaba siendo forjado. Coodie dejó su vida como creador de contenido para su programa llamado "Channel Zero", un proyecto que ganó bastante popularidad en Chicago, pero le tenía fe a la genialidad de Kanye, y su meta era poder documentarla para mostrarle al mundo no solo la grandeza de Kanye, sino también darle aliento a todo aquel soñador que tiene alguna meta y claudica porque no ha tenido resultados; y el documental debía ser la luz al final del túnel, la esperanza.

Donda West, la mamá de Kanye, era la luz de sus ojos, y también lo era para muchos amigos de Kanye. Ella fue profesora, una mujer de clase media que luchó en contra de la deserción escolar e hizo todo lo probable por inculcarle a su hijo valores y principios. En algún momento de la carrera de Kanye, Donda hizo una transición de lo que era su trabajo y se convirtió en la manejadora de Kanye. Fue algo muy inteligente que su madre lo manejara, ya que nadie velaría por sus intereses como ella. Una escena de este documental me marcó, y será algo que utilizaré por el resto de mi vida.

En una de las visitas que Kanye le hizo a su madre hablaron de su carrera, de lo grandioso que era lograr las cosas que estaba logrando, pero ella tenía algo que decirle a su hijo. Donda le comentaba a su hijo que él era muy seguro de sí mismo, pero que en ocasiones esa seguridad podía ser tomada por arrogancia, aunque él fuese una persona humilde. Acto seguido le dice a su hijo que siempre recuerde que "el gigante se mira al espejo y no ve nada, todos pueden ver al gigante menos el gigante, mantén tus pies en la tierra y puedes estar en las nubes al mismo tiempo". El gigante se ve a sí mismo con una gran tarea en el proceso, abandonar su ego por completo para nunca quedar prisionero de la grandeza de su reflejo.

Hoy conocemos la condición mental de la cual sufre Kanye. Qué porcentaje de sus errores a lo largo de su carrera podemos atribuir al mal juicio y qué porcentaje podemos atribuir a su padecimiento, permanecerá en un misterio. Lo que no será un misterio es lo real que fueron las palabras de su madre: el ego es nuestro peor enemigo, nubla nuestro juicio y nos hace ver cosas que probablemente puedan ser erróneas. Solo aquel que logra someter el ego llega a conocer el verdadero potencial de su grandeza, y cuando se mira al espejo, le es imposible percibirla con exactitud. No seas cegado por la grandeza de tu reflejo cuando te veas al espejo.

PARTE CUATRO

REACCIÓN

TU RELACIÓN CON LA FUERZA DE VOLUNTAD

Mike Tyson decía que "todo el mundo tiene un plan hasta que le dan un golpe en la cara". Así es esta vuelta de buscar nuestra versión del éxito. Podemos tener veinte planes, incluso muchos de ellos pueden ya tener resultados, pero la vida en ocasiones tiene un plan distinto para nosotros, y tenemos que saber ajustar fuego cuando el desenlace que obtenemos no es el que buscamos. ¿Cuál será tu reacción cuando la vida te dé su golpe en la cara? ¿Estás listo?

CAPÍTULO 7

TU PEOR ENEMIGO

*Pero el peor enemigo que te puedes
encontrar siempre serás tú mismo; te
acechas en cavernas y bosques.*
—FRIEDRICH NIETZSCHE

Los Estados Unidos tiene su historia en cuanto a la elocuencia de algunos de sus candidatos a la presidencia, o los que llegan a ser presidentes en algún momento. En el reciente cuatrienio desde el 2017 hasta el 2021, uno de sus candidatos más elocuentes asumió la presidencia y recuerdo el momento con exactitud. En aquel entonces yo trabajaba en el correo, mi turno era de madrugada, así que a esa hora todavía se estaban contabilizando votos de esas elecciones. A mitad de mi turno, leo que el New York Times publica la noticia de que Donald Trump había ganado la presidencia. Aquella estación del servicio postal parecía un servicio fúnebre, así como si fuéramos John Wick y nos hubiesen matado el perro.

Donald Trump es un empresario exitoso, pero no eran sus decisiones fiscales las que preocupaban a la nación, es justo decir que muchas personas sabían que tomaría decisiones sensatas que ayudarían a la economía de los Estados Unidos. Lo que le preocupaba a la nación era su retórica, su comportamiento antes y durante su campaña presidencial. Donald Trump era un troll de Twitter (red social que ahora se llama "X"), un tipo que venía de la farándula y el entretenimiento, sabía qué decir para que los medios de comunicación cubrieran lo que estaba diciendo y crear cobertura.

Se creó una narrativa que implicaba que los Estados unidos había perdido su nivel y calidad, que para sus estándares era meritorio volver a hacer a América "grandiosa". Hubo protestas en muchos estados cada vez que había uno de sus "rallies". Digamos que los ánimos en la nación estaban bastante caldeados y no fue una presidencia de mucha paz que digamos. La comunidad de "X" es experta excavando el pasado de una persona para traerlo al presente y destruirlo con ello. Durante su primera campaña presidencial, a Trump le buscaron todos y cada uno de los comentarios que pudiese trabajar en su contra ya que el internet no olvida, pero nada de esto funcionó, había un nuevo presidente.

Pensábamos que durante su presidencia el señor Trump sería mucho más parco con sus acciones y expresiones. Qué ingenuos fuimos. En el 2017 Puerto Rico fue destruido por el huracán María. Este fue un huracán categoría 5 que nos dejó sin electricidad por más de un año. Cuando Trump vino de visita a la isla, hizo una conferencia de prensa en la cual hablaría del plan para rehabilitar Puerto Rico y de paso repartir algunos suministros a las personas que se dieron cita a la conferencia de prensa. ¿El resultado? Que este cabrón nos tirara papel toalla como si se tratara de Kobe Bryant anotando un triple en los segundos finales de un juego de las siete finales de la NBA.

Recientemente Trump se expone a ser encarcelado, aparentemente por haber dado dinero a dos féminas que se sospecha tuvieron una relación con él antes de ser presidente a cambio de su silencio. Desde comentarios fuera de lugar, errores de juicio, retórica que se presta para malinterpretaciones hasta burlarse de un periodista con un padecimiento congénito... Donald Trump probó que los medios de comunicación, o los "fake news" a los cuales le ha declarado la guerra desde mucho antes de ser presidente, no son los responsables de que siempre esté metido en un lío. Donald Trump es el peor enemigo de Donald Trump.

Imagina a alguien con tantos adversarios o enemigos, que tenga que hacer una lista; y no cualquier lista, que esa lista esté compuesta por al menos doscientas personas. Richard Nixon es el único presidente en la historia de los Estados Unidos en presentar una renuncia luego de que comenzara su proceso de destitución por el escándalo de Watergate. Así como Richard Nixon, muchas personas poseen un grado enorme de inseguridad, y esta inseguridad les puede hacer cometer locuras, muchas veces para esconder acciones que denotan falta de carácter, entre otras cosas. En los ojos de Nixon, su historia tenía un antagonista, el hombre que fungía como su secretario de estado, Henry Kissinger.

Kissinger era un miembro muy aclamado de un grupo social conocido como el "Georgetown elite". Estos tenían cenas dirigidas por Joe Alsop, un columnista que invitaba a funcionarios del gobierno, oficiales de la CIA y otros columnistas a conversar mientras comían y bebían. Allí, tal y como una fraternidad, se burlaban de los que estaban presentes y de los que no estaban presentes también, nadie se salvaba. Este grupo veía a Nixon como un blanco fácil, y las cenas resultaban un tanto incómodas para Nixon ya que no tenía la facilidad para defenderse. Antes de ser su secretario de estado, Kissinger era su asesor de seguridad nacional, un tipo sumamente inteligente, profesor en la universidad de Harvard, articulado, gracioso y tenía el don del verbo.

Al comienzo Nixon utilizaba a Kissinger como su representación en Georgetown, era como una posesión valiosa para él, la persona que lo haría brillar ante este grupo de buitres que solo iban tras el objetivo de destruir su carácter. Kissinger luego desarrolla una relación con el Washington Post debido a que Nixon lo envió para que lo representara. Luego de esto, poco a poco fortaleció sus lazos y su influencia en George-town. En este punto ya Kissinger no se podía contener, y también comenzó a burlarse de Nixon en las cenas de Georgetown. Esto le causó tanta inseguridad a Nixon que ordenó que se le espiara a Kissinger y a otros funcionarios del gobierno; y este fue el comienzo del final para Nixon.

Richard Nixon no tenía ningún tipo de remordimiento por sus acciones, hasta el final no le importó que su inseguridad provoque que tuviese que renunciar como presidente de los Estados Unidos. Hasta poco antes de su muerte todavía seguía amparado en su versión, sabiendo que había pruebas que desmentían su narrativa. Las personas que rodearon a Nixon durante su presidencia decían que hacía comentarios antisemitas, o lo que viniera a su mente, y no le importaban las repercusiones. Podemos ver una clara similitud entre estos dos presidentes: ambos tenían la tendencia de decir y hacer cualquier cosa pensando en que los comentarios y las acciones cargaban consigo impunidad. Nixon no estaba seguro de sus dotes, le aterraba que una persona tuviese el conocimiento que él carecía y, en esencia, los atributos de otros eran la inseguridad de él.

Muchas veces nos hemos convencido de que no estamos listos para ser exitosos cuando apenas hemos tomado acción. Tenemos una voz que vive dentro de nosotros, esa voz a la cual nos dirigimos en la carta antes de comenzar este capítulo. El problema de esta voz es que no es nuestra, esta voz no somos nosotros diciéndonos todas las razones por la cual no debemos comenzar, es la voz de otro cabrón que está grabada en nuestra subconsciente.

Todas esas veces que escuchamos a terceros dándonos una opinión de algo que tal vez no estaban calificados para opinar, es porque nosotros lo permitimos, nosotros abrimos esa puerta y cada día regresan a fastidiar. La batalla no es con otras personas, la batalla es con nosotros mismos que a veces somos nuestro peor enemigo. Estamos dentro de nuestra cabeza todo el día, es una conversación que no acaba nunca. Es como un podcast con nosotros mismos que vive en replay día tras día, y a este Spotify no se le puede dar pausa, su sonido se intensifica por las noches y en lo que vivimos a diario.

Esta voz la podemos vencer con pequeñas acciones, por ejemplo comenzando con una rutina, la que sea, pero debes tener la disciplina de comenzar y sostenerla. Haz una pequeña lista el día anterior de las cosas más importantes que te toca hacer al día siguiente, y organízalas de tal manera que antes del mediodía puedas completarlas. Que vayas tachando esas tareas que tenías que hacer es una pequeña victoria, y una vez que consigues una victoria es adictivo, tu cerebro sigue queriendo obtener otra victoria más, y otra más, hasta que culmines con tus objetivos del día.

---

*"Conviértete en un coleccionista
de victorias a diario"*

Así mismo funciona nuestra confianza, nuestra seguridad trabaja en pequeños lapsos de motivación una vez logramos una cosa y otra y otra. Cuando obtuve mi primera propiedad, tracé la meta de comprar una propiedad al año. Una vez que logré la meta de comprar esa primera propiedad no pude parar, me obsesioné con ese proceso, y hasta hoy permanece como una de mis metas. Cada cierre me hace sentir distinto, aumenta mi seguridad y la confianza en el plan establecido. Conviértete en un coleccionista de victorias a diario.

NADIE JODE CON TUS HABICHUELAS

Es más fácil buscar culpables, y en esta era de los negocios, las redes sociales y los enemigos imaginarios, la gente está prejuiciada al pensar que las personas están tratando de quitar comida de sus mesas. En Puerto Rico el que piensa de esta manera comenta con mucho resentimiento "tal persona está jodiendo con mis habichuelas", y aquí estoy yo para desenmascarar a ese enemigo imaginario que tienes.

Hazme el favor y camina hasta un lugar donde haya un espejo, si no tienes un espejo cerca, estoy seguro que tienes un dispositivo móvil, puedes utilizar la cámara frontal en modo *selfie*. Ahí estás viendo al único responsable de las cosas que suceden y de las cosas que no suceden. Ahí tienes el responsable de todas las cosas que han sucedido y las que faltan por suceder. La ridícula noción de que alguien está robando la comida de tu mesa es lo que está jodiendo con tus habichuelas. Te falta enfoque, te falta disciplina, te falta sentido de propiedad y te falta entender que el obstáculo más grande que tendrás por siempre es ganar la batalla en tu contra.

El que se esfuerza al máximo compite consigo mismo todos los días, piensa como puede ser mejor persona que el día anterior, busca soluciones, no busca excusas.

Te saboteas a ti mismo a diario, esto ocurre muchas veces porque sembraron pensamientos limitantes en tu cabeza, y esto no es tu culpa. Lo que sí es tu culpa es que no tomes el timón para romper con el ciclo que te está impidiendo avanzar. Muchos de estos pensamientos limitantes no vienen de personas que tenemos cerca, vienen de la sociedad en global. En promedio, todos los días pasan alrededor de 60 000 pensamientos por nuestra mente, y el detalle es que muchos de estos pensamientos son mentira, pero se convierten en uso y costumbre en nuestra mente y solo le estamos dando "replay". Filtra tus pensamientos a diario, descarta los limitantes, cuestiona los que están bajo tu control, deja ir los que no, piensa en cuales estás exagerando y ve cancelando pensamientos poco a poco.

Otra de las cosas que debes tomar en consideración es que no es malo permitir que te ayuden. Yo luché en contra de esto por muchos años, y puedo decir que todavía es una lucha continua. Aprender a recibir no es algo fácil, y mucho menos cuando no estás acostumbrado. Acepta esa ayuda que tal vez ha sido ofrecida por tu pareja, eso no te hace menos, ciertamente la vida te dará la oportunidad de devolverle esa ayuda en múltiplos más grandes.

Nos autosaboteamos a menudo. Yo soy mi peor crítico, antes cometía el error de tratarme como basura, y nuestra mente graba lo que le estamos diciendo. Está bien que fiscalices tus acciones, eso hará que sigas subiendo de nivel, lo que no está bien es que tú mismo te metas el pie, que tú mismo te lleves a la horca. Asume la responsabilidad de las cosas que haces y las que no, sé consciente de tus acciones, entiende que tienen repercusiones, sean positivas o negativas. Mírate en el espejo de Nixon y de Trump, toma el ejemplo de estos personajes que cometieron faltas y pensaron que nunca tendrían que hacerse responsables de ellas. Ellos fueron sus peores enemigos y la peor parte de ello es que nunca se enteraron. Nixon siguió en negación hasta su lecho de muerte, y Trump hasta hoy piensa que es una agenda lo que tienen en su contra. Cual sea el desenlace del caso de Trump, aún estamos por descubrirlo. Ser mejor que el tú de ayer debe ser tu meta todos los días, no seas tu propio verdugo.

LA RAZÓN NO GRITA, CONVENCE

Cada historia tiene un antagonista, un adversario que no permite que el protagonista de esa historia logre su cometido. Para muchos jugadores de baloncesto en la mejor liga del mundo, la NBA, en ambas conferencias, la del este y del oeste, había un solo antagonista. Una leyenda que de no haber sido por su existencia, varios jugadores hubiesen logrado cosas más grandes en su carrera. El paso de Michael Jordan por la liga casi aseguraba que todos los jugadores compitieran por el segundo lugar, ya que el primero tenía nombre y apellido.

Quince temporadas, seis campeonatos, un récord perfecto en finales y la encomienda de haber popularizado el baloncesto, son algunas de las cosas por las cuales se le reconoce y han convertido a Michael Jeffrey Jordan en un ícono cultural y en una de las personas más populares del planeta. El mundo del baloncesto no le esperaba con los brazos abiertos a Mike. En su primer intento para entrar al primer equipo de su escuela superior, fue rechazado porque no tenía la estatura. Ahí es donde comienza el deseo ardiente y su obsesión con el deporte. Si el gallo estaba cantando, Michael estaba en la cancha entrenando.

Él sentía que tenía algo que probar, y para hacerlo entró al equipo junior de su escuela superior, donde promedió alrededor de 40 puntos, ahí demostraría que contaba con los recursos para entrar al primer equipo de la escuela. Michael se convirtió en una pequeña sensación siendo regular en todos los juegos de los cuales fue parte. Promedió 25 puntos por juego, las personas iban solo por ver a Michael jugar, era ver una estrella en acenso. Cuando muchas personas dudaron de su talento, michael apostó a él y muchos tuvieron que tragarse sus palabras y dudas. Como alguien a quien le han llamado loco por una de sus ideas, y a fin de cuentas terminó callando a los que dudaron, puedo decir que no existe mejor sensación que esa.

Después de la Escuela superior, Michael recibiría una beca por baloncesto en la Universidad de Carolina del Norte, y jugando baloncesto colegial también dio cátedra ganando numerosos premios. En 1982 Michael hizo una de las anotaciones más importantes de su carrera colegial para ganar ante Georgetown, liderado por nada más y nada menos que Patrick Ewing, quien terminaría siendo uno de sus mayores adversarios luego en la NBA. En el proceso de selección de jugadores de la NBA, Michael fue el tercer jugador escogido por los Chicago Bulls. Siéntate a pensar cómo deben sentirse esos dos equipos que escogieron otros jugadores por encima del mejor jugador que ha pisado una cancha de baloncesto. Aquí podemos ver como la adversidad seguía probando el temple de Jordan, este todavía sentía que tenía algo que probar. Como si fuera poco, cuando llegó a la liga comenzó a recibir mucha cobertura, era de esperarse con un deportista del nivel de Michael, sabían que una estrella había llegado al baloncesto.

Cuando te desempeñas bien haciendo algo, llamas la atención positiva y negativamente. Algunos de los companeros de Michael comenzaron a sentir celos por lo que estaba sucediendo y esto trajo problemas a la organización. Se formaron bandos en el equipo y los jugadores comenzaron a decidir por qué bando se decidían. Este era un plan deliberado para sabotear esta primera temporada de Jordan, sus compañeros lo ignoraban en la cancha y no le pasaban el balón. Aquí es donde se sabe de qué está hecho un ser humano, porque trataron de meterle el pie, trataron de hacerle daño e intimidarlo, pero el carácter de Michael probó no ser frágil, y pese a estas acciones se consagró como el novato del año 1984.

"Cuando te desempeñas bien haciendo algo, llamas la atención positiva y negativamente"

¿Hasta ahí llegaron las pruebas de carácter para Michael? No. Para un atleta no existe nada más devastador que una lesión, muchas de estas provocan que no vuelvas a jugar durante la temporada, y en el peor de los casos algunas acaban con tu carrera. En el tercer juego de la temporada de 1985-1986, Michael se fracturó un pie, lo que le costó el resto de la temporada. Una lesión no es solo un obstáculo físico, es también un obstáculo mental ya que los jugadores pueden pasar por un periodo de adaptación, con temor a volver a lesionarse y que esto termine afectando su desempeño. Jordan se recuperó justo a tiempo para regresar en la temporada 1986-1987, que es, ante los ojos de muchos, una de sus mejores temporadas. Allí anotó 3000 puntos, algo que solo había logrado Wilt Chamberlain antes que él.

El 11 de Junio de 1997 Michael viviría uno de los desafíos más grandes de su carrera, en uno de los juegos más icónicos en una final de la NBA. Hasta ese punto, este tipo aparentaba ser invencible, demasiado superior a sus pares. Michael simplemente trabajaba en una frecuencia distinta, y nadie había descifrado ese rompecabezas. Este era el juego número 5 de las finales de la NBA en el 1997, conocido como el "Flu Game", en el cual Michael lideró a los Bulls para obtener una victoria por 2 puntos ante los Utah Jazz. El nombre de "Flu Game" viene a raíz de que uno de los comentaristas dijera que Jordan estaba sufriendo de aparentes síntomas de Influenza, pero años después se confirma que Michael no tenía Influenza, realmente se había envenenado con una pizza que ordenaron la noche anterior.

Lo interesante de este juego fue que Michael, pese a sentirse mal de salud, le dijo a su entrenador, Phil Jackson, que jugaría de todos modos. El equipo fue estratégico a la hora de que Michael jugara, ya que se encargaron de que él no tuviera que preocuparse por el lado defensivo del juego, y que solo prestara atención a lo que él sabía hacer, anotar cuando el balón llegara a sus manos. Michael anotó 38 puntos en ese juego para darle la victoria a los Chicago Bulls, quienes terminaron ganando esa serie contra Utah. Aquí vemos el claro ejemplo de un ser humano con fuerza de voluntad, alguien que se negó a que los peñones que estaban en su camino determinaran cual sería su destino.

No todos nacen con las habilidades de un Michael Jordan, LeBron James o Kobe Bryant, pero aun teniendo habilidades que son fuera de lo normal, un ser humano sin fuerza de voluntad se quebrantaría ante los distintos escenarios que podría presentar la vida. Michael dijo en un comercial de Nike en 1997: "He fallado más de 9000 tiros en mi carrera. He perdido casi 300 juegos. Me han confiado el balón para lanzar el tiro que nos daría la victoria 26 veces y lo he fallado. En mi vida he fracasado una vez tras otra, y por esa razón es que he tenido éxito". Jordan estableció una meta, y esa meta era volverse innegable, que nadie pudiese dudar de sus habilidades en la cancha de baloncesto.

No es suficiente con la cantidad de éxito que a lo mejor piensas que tienes porque eso es relativo, el éxito puede ser observado desde una lupa diferente, dependiendo qué ojos tenga encima. ¿Ya eres innegable? ¿Ya eres el tipo más duro haciendo lo que haces? ¿Cuánto te falta para lograrlo? ¿Qué recursos y esfuerzo necesitarías para que fuese así? Jesse Itzler cree en una regla llamada la regla de las 100 horas, o simplemente 18 minutos al día. Esta regla implica que 18 minutos al día por un año te haría mejor que el 95% de las personas que hacen lo que tú haces en tu campo. Consistencia y determinación en esencia. ¿Tú la tienes?

No hay que utilizar un atleta de alto rendimiento para probar este punto, podemos utilizarnos a nosotros en nuestro día a día. Cuando arrancas con una meta, cualquier excusa es buena para que la consistencia se vea afectada. Si la meta para ese día era ir al gimnasio, solo dos gotas de agua son suficientes como para que la mente te diga "no vayas hoy, ve mañana", o "hazlo el lunes". Si la meta era comenzar una dieta, al igual que la mencionada excusa "el lunes empiezo en el gimnasio", añádele a esa lista de pretextos que ese mismo lunes también empiezas con la dieta para acabar de joder.

Arranca a correr sin rumbo un día al levantarte. Nuestra mente está tan condicionada para ir en contra de lo que nos hace bien, que a tan solo minutos de que empieces a correr, la mente te dirá "deja de correr que esto es una basura". Los cambios y la formación de hábitos son sumamente difíciles, estamos sacando nuestras vidas de la zona de confort, y eso cuesta. Es clave para mí que entiendas que aunque en este punto ya tengas cierto nivel de éxito, puedes tener un contratiempo, y allí debes depender de tu fuerza de voluntad para sostener ese éxito que ya obtuviste. Cada vez que logras escalar un peldaño la vida tendrá un sinnúmero de pruebas para determinar si realmente perteneces al nivel en el que te encuentras. Las tentaciones y las cosas que no te explicas vendrán a probar la fuerza de tu carácter. Hay superestrellas que se han caído por diversas razones, entre ellas las drogas, un círculo de amistades inadecuado, la diversión y el alcohol. Es triste ver un ser humano con enorme potencial siendo desperdiciado, y saber que probablemente nunca vuelva a tener éxito por sus acciones.

Nicky Jam probó lo que para muchos es éxito temprano en su carrera, tuvo dinero, fama y reconocimiento. Después de tener todos estos logros, sufrió una caída estrepitosa gracias a las drogas, lo perdió todo. Justo cuando pensó que todo estaba perdido, se enteró que varios de sus colegas estaban haciendo dinero en Colombia. Nicky no lo pensó dos veces y le dijo a la que en aquel momento era su pareja que se mudaran a Colombia, que allá encontrarían esa estabilidad y éxito que buscaban. La pareja de Nicky no quiso irse, y Nicky rompió la relación para ir a perseguir su sueño por segunda vez, pero esta vez a Colombia. Nicky se levantó de las cenizas como el ave Fénix, y sus temas hechos en Colombia fueron éxitos totales. Hoy Nicky es un empresario dueño de restaurantes, bienes raíces y actor de películas que ha trabajado con actores como Will Smith y Martin Lawrence. Nicky es para muchos el ejemplo de que pese a que la vida pueda darte un golpe que no esperas, si tu fuerza de voluntad está donde debe estar, siempre saldrás a flote.

EL QUE GRITA PIERDE

En una habitación a quien más alto habla nadie le hace caso. A mí no me importa cuántas veces tú te has dicho que eres el mejor haciendo algo si la realidad es que te lo repetiste tantas veces que te lo creíste, y a tu portafolio le faltan trabajos para sustentar lo que tu boca está diciendo. El mitómano se repite la mentira tantas veces que eventualmente se la cree. El que te vuelvas el mejor en lo tuyo llegará, pero llegará por ser el tipo dispuesto a hacer el trabajo sucio, por ser el tipo dispuesto a esforzarse al máximo cuando nadie quiere hacerlo, bajo los términos que nadie quiere hacerlo, así que tus actos hablarán por ti.

La fuerza de voluntad es un elemento que no es absoluto y práctico en todos los casos. Para Jordan fue un elemento clave porque él tenía un talento sobrenatural, y al volverse el mejor tomó decisiones para que su fuerza de voluntad fuera memoria muscular. En el libro de Benjamin Hardy, "Willpower Doesn't Work", el autor nos dice que debemos crear un entorno propenso para esa fuerza de voluntad, esto causará que nos adaptemos a ese entorno con facilidad. También habla de tener espacios distintos para trabajar y descansar. Al escribir este libro aprendí que se me hacía demasiado difícil trabajar en mi casa debido a las distracciones, así que tuve que encontrar un lugar que me hiciera sentir esa vibra de trabajo para que la cretividad fluyera, de lo contrario no iba a escribir ni media página diaria. Tuve días en los cuales no fluía al escribir, pero me obligué buscando un entorno distinto, me iba a un hotel, y con el sonido de las olas las palabras fluían con facilidad.

Una de las ideas que más me llama la atención sobre el libro de Hardy, que lo escuché por primera vez de mi buen amigo Carlos Figueroa, es el término "forcing function". Es básicamente una acción que tomamos para obligarnos a hacer otra. Para ponerles un ejemplo sencillo, yo había anunciado este libro antes de tan siquiera haberlo escrito, no había libro, no había idea, no había publicadora, pero lo anuncié, y fue ese pie forzado para que comenzara a escribirlo. En resumen, la fuerza de voluntad importa mucho, pero hay que acompañarla de varios elementos para no quedarnos cortos en el camino:

1. Sé innegable.
2. Trabaja más que el resto.
3. Sé consistente.
4. Ajusta tu entorno y te moldearás a él.
5. Oblígate a tomar acción.

CAPÍTULO 8

EL PEOR RIESGO

*Los nuevos comienzos a menudo se
disfrazan de finales dolorosos.*

—LAO TZU

Todos los excesos son dañinos, incluso beber agua en exceso puede causar una condición llamada hiponatremia, que puede acabar con la vida de quien la padezca, los riñones trabajan fuerte para remover ese exceso de agua y afecta los niveles de sodio en el cuerpo. Si el agua, que es vital para el funcionamiento de todos nuestros sistemas, nos puede hacer daño consumida en exceso, imagina cuan dañinas pueden ser las cosas que no son beneficiosas para nosotros y las hacemos en exceso. Esta mañana comencé mi día con una llamada de mi amigo Samuel, quien era boxeador profesional y en su tiempo libre disfruta de una que otra apuesta. Su pregunta fue una que abrió el camino para que tuviéramos una conversación muy interesante.

"¿Una apuesta puede ser vista como una inversión?". Las apuestas y las inversiones tienen varias caracteristicas que se asemejan pero no son para nada iguales. En ambas hay al menos la esperanza de obtener un retorno, en ambas hay dinero envuelto, y me encantaría pensar que en ambas existe algún grado de investigación para tomar la decisión más sensata posible. La característica que más diferencia una de la otra es el nivel de riesgo. Para comenzar, una apuesta se da en cierta cantidad de tiempo, es decir, sabemos que ese evento se va a dar, o le vas a dar a la palanca de la máquina o tener una buena jugada en la mesa de póker. El detalle es que ya hay un tiempo determinado en el cual esa apuesta debe terminar, tiempo en el cual ya sabremos cuál es el desenlace de la apuesta.

Una inversión hecha en la bolsa de valores, por el contrario, puede estar corriendo por años; y aun así tu inversión inicial parezca no tener dividendos, no se convierte en una pérdida hasta que se materializa la misma mediante una venta, momento en el cual te encuentras en ganancia y vendes, es decir que nunca perdiste. Pero las apuestas no son así.

Cuando le hablaban de apuestas y de la lotería, mi abuela siempre me decía "el que juega por necesidad, pierde por obligación"; y aunque una apuesta no discrimine en cuanto a estatus social o económico se refiera, ciertamente el que tiene menos en el bolsillo tiene mucho más que perder que el que sí tiene, así que el destino nunca estará a su favor.

Aunque este detalle del tiempo es importante, no lo considero más importante que hablar de probabilidades cuando hablamos de inversiones y apuestas. En una apuesta, la probabilidad de que te encuentres en desventaja y pierdas tu dinero excede la probabilidad de que ganes dinero. En una inversión la probabilidad de que exista ganancia excede la probabilidad de la pérdida. Cuando se comparan las dos actividades, su mayor diferenciador es el riesgo, y el riesgo es medido en números. Si no fuera así, las apuestas no serían un negocio tan lucrativo. No existirían los casinos si los dueños estuvieran conscientes de que cada vez que entran en una transacción, su nivel de riesgo es más alto que el de su cliente, sino sería completamente estúpido participar de este negocio.

Demás está decir que en el mundo de los negocios existen apostadores, personas que sin ningún tipo de conocimiento, investigación o asistencia de alguien que sí sepa, se aventuran en un negocio en específico, para después tener la audacia de culpar a alguien o decir que el negocio no funciona. En el mundo cripto esto es más que normal, los borregos corren a invertir en lo primero que escucharon sin investigar, para después echarle la culpa al que lo dijo, así invierte cualquiera. Cuando comparas una con la otra, es evidente que aunque tienen sus similitudes, no son iguales.

EL GRAN SALTO

De pequeño yo le tenía miedo a muchas cosas, pero a lo que más le tenía temor era a los ascensores y a las alturas. De los ascensores temía quedarme encerrado. Donde hubiese la alternativa de tomar las escaleras, aunque fuese solo, me iba. De las alturas temía todo, pero fue algo que me tocó afrontar a la mala una vez llegué al ejército, allí no existen las excusas y mucho menos alguien que te salve de lo que tienes que hacer, los temores son un problema personal y tienes que lidiar con ellos. La primera vez que yo salté de un avión, fue una decisión impulsiva, así como la que tomas con los amigos después de varios tragos y deciden irse a tatuar con el primer carnicero que encuentren. Al otro día amaneces con un tatuaje que dice "perdón madre mía" y no sabes que carajo pasó.

"Los temores son un problema personal
y tienes que lidiar con ellos"

Muchas veces estas citas para tirarse de un avión se hacen con meses de anticipación, y durante esos meses no hay mucho temor que digamos. Will Smith habla de esto en un video. Mientras sigue pasando el tiempo el temor incrementa poco a poco, ya que se está acercando la fecha. El temor más grande llegó para mí la semana del salto, esa semana en lo único que podía pensar era en ese brinco. Mi nivel de ansiedad estaba en las nubes porque no tan solo estaría saltando de un avión, estaba afrontando uno de mis mayores temores. El día del brinco no había medicina que detuviera las diarreas que yo tenía, el temor era real, había llegado la hora cero y el verdugo de las alturas estaba esperando por mí. De camino trataba de pensar en otra cosa, pero no podía, solo pensaba en todas las películas de "Destino final" que había visto, donde la gente muere de la manera más absurda, y cuestioné la decisión un millón de veces.

Cuando me estaban preparando para el gran salto mi mente estaba apagada, no había nada que podía hacer, era como si la batalla mental me hubiese derrotado y me hubiese dado por vencido, pero pronto la guerra mental comenzaría nuevamente. Cuando el avión está en el aire, si corres con suerte puedes ser el primero en lanzarte, y esto no afecta tanto tu mente porque sales de esto; pero si eres de los últimos tienes que ver a todos lanzarse menos tú, entonces yo tenía la ansiedad por las nubes. Llegó mi turno, y como todo el mundo tiene una reacción involuntaria de aguantarse en los extremos de la puerta a la cuenta de tres, ya a la cuenta de dos estás saltando del avión. En ese momento de repente te falta el aire, el corazón va a 300 millas por hora, pero ves los colores que nunca habías visto, el verdor de la vegetación como nunca lo habías visto, el azul del cielo más intenso, por un momento desaparecen todas tus preocupaciones. Al analizar el salto después de haber aterrizado, entendí que de no haber procedido con el plan, de no haber asumido ese riesgo, me hubiese privado de vivir, tal vez, una de las experiencias más hermosas de mi vida.

La mente trata de protegernos de lo que desconocemos, y muchas de las aventuras que decidimos hacer en la vida están compuestas por cierto grado de incertidumbre. El riesgo es inevitable en la vida, cada una de nuestras decisiones contendrá cierto grado de riesgo. Las personas exitosas entendieron hace mucho tiempo que el riesgo no tan solo es un factor inevitable en su jornada, también entendieron que el riesgo es fundamental en su proceso. Hay una diferencia marcada entre el riesgo calculado y el riesgo desmedido, ahí es donde entran a la ecuación los apostadores en cualquier mercado. Mi regla básica es que a cualquier negocio o mercado que decido entrar, debo tener al menos un 60 % de probabilidad de ganancia versus un 40 % de pérdida.

Siempre tengo en mente que cualquier cosa que haga debe tener mayor probabilidad de una potencial ganancia que de una pérdida. Aunque nunca sepamos a ciencia cierta cuánto terminaremos ganando, con análisis podemos tener un buen estimado, ese es el riesgo calculado. Conocí personas que en mercados financieros arriesgaban más del 50 % de su capital en una sola posición, ese es el riesgo desmedido, tienes que ser suficientemente astuto para no terminar en este último grupo. Las personas que criticaban mis ansias de emprender desde temprana edad y justificaban su postura diciendo que mi emprendimiento nunca sería sería "seguro" como su empleo, olvidaron que ellos también corrían riesgos, por ejemplo que en cualquier momento sean despedidos y quedarse desempleados. Cada avenida tiene su riesgo implicado, tú decides cuál riesgo correr.

¿POR QUÉ LOS SERES HUMANOS LE HUYEN AL RIESGO?

Por falta de conocimiento y temor a lo desconocido. "¿Qué pasará después que asuma este riesgo?". El ser humano busca la seguridad, la comodidad, recurre a lo que conoce y por esa razón en ocasiones le huye a cualquier grado de riesgo, desconociendo que mientras lo hace asume el riesgo más grande. Arriesgar constantemente es salir de la zona cómoda, es vivir en incomodidad. ¿Por qué piensas que a tantas personas le cuesta renunciar a sus trabajos aunque lo detestan? Se acostumbraron a los compañeros, a los procesos, a lo que ya conocen. Incorporarse a un lugar nuevo cuesta. Aunque odies las circunstancias que hoy vives, más odias el sentimiento de lo desconocido, y eso es lo que te impide lograr cosas grandes. Es más fácil acostumbrarse a lo mediocre, a los trabajos mediocres, a los hábitos mediocres, a los seres humanos mediocres, y por inercia terminar convirtiéndote en uno de los mediocres más grandes que has conocido. Todo lo que valga la pena aspirar, requerirá del dominio de nuestros impulsos y de nuestra fuerza de voluntad para la acción.

¿CÓMO LO CONTRARRESTO?

Cuando comencé mi carrera como oficial en el ejército, tenía que dar presentaciones a oficiales de mayor rango que yo. Me daba mucho temor hacer oratoria porque pensaba que estarían buscando errores en mí, que estarían esperando a que yo cometiera un error. Descifré bastante rápido que mi herramienta para contrarrestar el temor a este riesgo era el conocimiento. Si yo conocía la materia mejor que cualquier persona que me estaba escuchando, no había manera de que ellos pudieran refutar lo que estaba diciendo.

El pez globo es una de las comidas más peligrosas del mundo. Un plato de pez globo preparado de manera incorrecta puede ser letal ya que los ovarios, intestinos y riñón contienen tetrodotoxina, una neurotoxina que puede ser hasta 1200 veces más mortal que el cianuro. Un solo pez globo tiene suficiente veneno para matar 30 personas. Su veneno funciona paralizando los nervios motores, causando un paro respiratorio a la víctima y ocasionándole la muerte. Los chefs japoneses pasan años estudiando para poder preparar el pez globo, y pese a esto mueren varias personas al año por consumir pez globo mal preparado. El riesgo nunca es una ciencia cierta, pero existen maneras de mitigarlo. Tal y como los japoneses entrenan años para aprender a cocinar "fugu" de manera adecuada, tú tienes que hacer lo propio y prepararte para mitigar el riesgo. Todo da vueltas alrededor del conocimiento y experiencia que decidas adquirir.

EL VERDADERO RIESGO

No hay peor riesgo que no tomar un salto de fe y huirle al riesgo. Desde mi punto de vista, ser adverso al riesgo es uno de los obstáculos más grandes que puede tener un ser humano en cuanto a su mentalidad. Asumir riesgos constantemente es como entrenar un músculo, cada vez te vas acostumbrando más al dolor hasta que se convierte en costumbre, y ya el dolor no es el mismo que tenías cuando comenzaste a entrenar.

Crea el hábito de asumir riesgos, unos de mayor escala que otros, pero sobre todas las cosas asúmelo, ve familiarizándote con ese sentimiento, crea una coraza mental de tanto que has pasado por esa experiencia, conviértelo en memoria muscular. Tener la potestad de asumir un riesgo es tomar control de tu vida, agarrar el toro por los cuerno y no ser un velero sin capitán. Tomar un salto de fe es riesgoso, pero nunca será más riesgoso que la incertidumbre de saber qué hubiese pasado si lo hubieses intentado, y el arrepentimiento es un sentimiento difícil de superar. Dar el salto da miedo, pero para que llegue a tu vida lo que anhelas, una cosa es completamente cierta: tienes que saltar.

TESTARUDEZ CON PROPÓSITO

En la ciudad antigua de Corinto, en Grecia, reinaba un hombre muy astuto llamado Sísifo. En Sísifo tenemos el ejemplo de una persona sumamente inteligente, pero la inteligencia no siempre va de la mano con la sabiduría. Sísifo era tan inteligente que logró convertir su ciudad, en aquel entonces llamada Ephyra, en una ciudad próspera. Pero también era un líder tirano que asesinaba a sus visitantes solo como demostración de su poder, también seducía a su sobrina, y su tiranía no conocía límites. El que Sísifo asesinara a sus visitantes violaba la tradición griega de la hospitalidad sagrada, y esto no tenía muy contentos a los dioses. El problema para Sísifo comenzó cuando Zeus secuestró a una ninfa llamada Aegena y él lo presenció. Zeus tomó la forma de un águila gigantesca y se llevó a Aegena, quien era hija de Asopus, el dios griego del río, quien siguió sus rastros hasta la ciudad de Ephyra.

"Tener la potestad de asumir un riesgo
es tomar control de tu vida"

Tantas eran las ganas de Sísifo porque Ephyra se convirtiera en una ciudad próspera, que le dijo a Asopus que le contaría lo que había sucedido con su hija si este se comprometía en hacer un cuerpo de agua dentro de su ciudad. Asopus cumplió con su palabra, hizo el cuerpo de agua dentro de Ephyra y Sísifo le dijo en qué dirección Zeus se había llevado a Aegena. Era cuestión de tiempo para que Zeus se enterara de lo que Sísifo había hecho. Y una vez que se enteró, Zeus ordenó a Thanatos (la muerte en mitología griega) que se llevara a a Sísifo al inframundo y que lo encadenara para que así no causara más problemas.

Siendo el tipo astuto que es, Sísifo le dijo a Thanatos que le enseñara cómo funcionaban las cadenas. Acto seguido, Sísifo encadenó a Thanatos y logró escapar del inframundo, había burlado la muerte. Esto causó un problema enorme, porque estando Thanatos en el inframundo encadenado, no podía cumplir con su labor, así que la gente no estaba muriendo. Ares, el dios de la guerra, ya estaba cansado de que las guerras no fuesen divertidas debido a que nadie estaba muriendo, y decidió asumir la encomienda de ir al inframundo para librar a Thanatos.

Siendo liberado por Ares, Thanatos tenía su blanco como objetivo, y Sísifo ya sabía lo que le esperaba. No había manera de que Sísifo se fuera al inframundo sin antes tener un as bajo su manga. Antes que la muerte llegara, Sísifo tuvo una conversación con su esposa en la que le pidió que al morir no le rindiera ningún acto fúnebre, a lo que esta accedió y cumplió con la petición de Sísifo tal y como lo acordaron. Una vez llegó al inframundo dio su queja a Persephone, que era la reina del inframundo, y le contó que su esposa había faltado a la tradición sagrada y no le había hecho un entierro digno. Con la insistencia de Sísifo, Persephone no tuvo otra alternativa que permitirle a Sísifo volver a la vida para reprender a su esposa por la ofensa, ofensa que él con su audacia organizó. Solo había una condición para este acuerdo, y era que al terminar la reprimenda de su esposa, Sísifo regresara al inframundo.

El que comienza siendo un truquero, termina siendo un truquero, y como era de esperarse, Sísifo no planeaba cumplir con su parte del trato. Ya era la segunda vez que Sísifo burlaba la muerte, y haciéndolo también se burlaba de los dioses, quienes no estaban muy contentos de ese hecho. Los dioses habían aguantado suficiente y no podían permitir que esto sucediera una tercera vez, así que Hermes, como mensajero, buscó a Sísifo, quien pensaba ser más astuto que los dioses, y se lo llevó a Hades.

Zeus estaba furioso, ya que era la segunda vez que Sísifo les hacía una de las suyas, había que ponerle un alto de inmediato. Como en muchas historias de la mitología griega, debía existir un castigo que reprendiera la imprudencia de Sísifo. La mitología griega nunca ha defraudado cuando se trata de brindarnos historias en las cuales los dioses se regocijaban al infligir castigos horribles a quienes desataran su ira. Estos castigos iban desde estar amarrado a una rueda encendida en llamas, hasta tirarte a un lago en el inframundo donde cada vez que tenías sed, el agua retrocedía, y si tenías hambre, el fruto se alejaba de tus manos. Sísifo no sería la excepción, aunque esta vez el castigo sería más memorable. La sanción consistía en empujar una roca enorme hasta la cima de una colina, pero justo y cuando estaba a punto de llegar a la cima, la roca rodaba hacia abajo, forzándolo a comenzar nuevamente una y otra vez hasta la eternidad. Finalmente, a Sísifo le tocó afrontar lo que el destino le había deparado.

Cuando nacemos nos dan nuestra roca enorme, y empujarla hasta el tope de esta colina se convierte en nuestra misión por lo que nos resta de vida, una vida a veces repetitiva, a veces sin sentido, pero siempre nuestra. Y no existe mayor herramienta para la inspiración que luchar por algo que nos pertenece. Aunque Sísifo no ha de ser recordado por su mal comportamiento o por su falta de principios, al final nos deja con una gran lección de perseverancia, ya que él es el ganador de esa lucha que nunca acaba, porque tiene el valor de salir a conquistarla cada vez que comienza. Empujar esa roca era su propósito, y demostraba una gran labor al ir tras ese propósito, de no ser por la roca y la colina hoy no estuviésemos hablando de Sísifo o recordándolo como lo hacemos. La vida está llena de obstáculos, llena de pruebas, unas más fuertes que otras. Eso representa la roca, y Sísifo nos representa a nosotros, empujando esa roca hasta la cima para volver a empezar una vez que no resulten nuestros planes. Esto representa la fortaleza mental de poder conquistar cualqiuier obstáculo que la vida nos presente.

A veces nos sentimos como el ratón en la rueda, en una carrera que no termina, y nos fatigamos. Es normal, es válido, pero luego de tomar un descanso, comer y beber agua, el ratón vuelve a esa rueda. Muchos balbucean mil cosas sobre el propósito, pero luchar por el propósito es sencillo cuando no dependes de él, cuando tu familia no depende de él y cuando las cosas van como planeas. ¿Y qué hay del propósito cuando sientes que te asfixias? ¿Qué pasa con el propósito cuando te sientes como basura? ¿Qué hay del propósito cuando intento tras intento las cosas te salen mal? Muchos hablan de ello, pero realmente son pocos los que lo han vivido como para poder ser el ejemplo de lo que se predica. Hay que abrazar nuestro propósito como la roca, y una vez que aceptemos ese propósito como nuestra razón de existir, hay que hacer todo lo que esté a nuestro alcance por luchar e ir tras él.

En ocasiones nos vence la incapacidad de aceptar nuestras derrotas con la misma actitud que aceptamos nuestras victorias. Dejamos que una derrota temporal se convierta en un fracaso permanente, y muchas derrotas son circunstanciales, pero no teníamos control de ellas. Vas a perder mucho, vas a caer muchas veces, pero rehúsate a que te juzguen por la cantidad de veces que te caes, oblígalos a medirte por la cantidad de veces que te has levantado. El que se rinde a mitad de camino es porque no se ha dado la tarea de descubrir su potencial.

Para Sísifo, la perseverancia simplemente fue un castigo, una lección o tortura por sus actos, para nosotros no lo es, eso es lo que traerá un desenlace totalmente diferente. Muchas personas han sido exitosas dando el 100 % de su esfuerzo a otras personas, imagina si todo ese esfuerzo fuese empleado para beneficio propio, todo sería distinto. Ser un testarudo con propósito no es nada fácil, no es algo que conseguirás sin antes probar el sabor de la derrota en repetidas ocasiones. ¿Estás dispuesto a hacer el sacrificio?

SIN COMENZASTE ALGO, TERMÍNALO

No hay nada que me aterre más que el arrepentimiento, en todo. En las cosas que pude hacer y no hice para evitar ciertos desenlaces, y en los riesgos que pude haber tomado y no tomé. Desde que escuché a Kevin Hart decir "si comenzaste algo, termínalo", mi mentalidad dio un giro, comencé a entender que abandoné muchas cosas en mi vida de manera prematura. Rendirse es fácil, completar una meta que tal vez trazaste hace mucho tiempo, eso sí es difícil; y lo más triste es que muchas personas no se rinden a mitad de camino, se rinden cuando ya están a metros de distancia de lograr su meta, lo que sucede es que no pueden ver la meta.

¿Si supieras que estás a un pie de llegar a tu "touch-down" siendo jugador de NFL, te rendirías? La testarudez con propósito es la capacidad de medir la distancia entre tú y tu meta. Aunque físicamente sea imposible, es darle a tu mente la capacidad de determinar cuán lejos estás, y que puedas palparla.

Ray Croc era un vendedor de batidoras con 50 años, que aunque vivía bien, aspiraba a mucho más. Conoció a los hermanos detrás de McDonalds y los convenció de que les faltaba ambición. Él veía en McDonalds demasiado potencial, y este no podría ser alcanzado si no empleaban el modelo de franquicia a su negocio. Tuvo que insistir en numerosas ocasiones, pero ellos no veían lo que él veía. Si Croc no hubiese sido perseverante en su visión para convencerlos, McDonalds tendría solo un local y no sería el gigante de la comida rápida que hoy conocemos, dueños del terreno donde operan todas sus franquicias, empleando más de un millón de empleados al año y estando en la posición número 90 entre las compañías más grandes del mundo.

Jack Ma, dueño de Alibaba, fue rechazado en 30 trabajos, entre ellos KFC; y fue 10 veces rechazado al tratar de entrar a Harvard, universidad para la cual terminó siendo conferenciante muchos años después. En los 90 Jack Ma descubre el internet y todas las oportunidades que traía. No pudo con él ese rechazo, pudo más su fuerza de voluntad y no dejar que sus fracasos en el pasado determinaran quien iba a ser él.

Howard Schulz fue a 242 instituciones bancarias buscando financiamiento para su negocio, estuvo un año completo recibiendo rechazos hasta que finalmente recibió $400 000 de un doctor y otros dos inversionistas, los cuales utilizó para fundar Starbucks. Hoy Starbucks tiene más de 16 850 localidades en 40 países y suman dos localidades cada día, emplean alrededor de 137,000 personas y Howard tiene un patrimonio neto de 3 billones de dólares. A Howard le dijeron que no 242 veces y siguió perseverando. Si a ti te rechazan una vez y ya estás pensando en colgar los guantes, reevalúa tu ambición de emprender, puede que estés en el lugar incorrecto.

Thomas Edison fue exitoso en la invención de la bombilla después de 1000 intentos. Su pensar no era que había fracasado mil veces, simplemente encontró mil maneras en las cuales no se podía construir una bombilla. Todas estas historias de perseverancia que probablemente has escuchado antes no significan nada si no las pones en contexto. Una vez que has logrado algo, la perseverancia se dificulta, piensas que ya tenías todo descifrado y la vida se convierte en "closer" de ligas mayores, haciendo los últimos y más importantes lanzamientos, como Edwin "Sugar" Diaz, y no puedes descifrar el pitcheo.

Toca reinventarse muchas veces, abandonar el ego, desaprender muchas cosas y emprender en tu rumbo nuevamente. Una vez que llegas y te caes es más difícil para la moral. El que juega $5 a la lotería y los pierde, no le duele igual que al que invierte $5.00, los convierte en $25 y después los pierde. Como alguien que nace sin vista, que aprende a adaptarse desde cero porque no sabe lo que es tenerla desde nacimiento. Pero el que nace viendo, y por circunstancias penosas pierde su visión, tiene que empezar de cero. Así mismo es cuando se logra algo en la vida y se pierde. Todos estos testarudos tenían un propósito, ese propósito fue el que los llevó a alcanzar su éxito.

¿LISTO PARA COMENZAR NUEVAMENTE?

Campeones, en el camino me ha tocado comenzar de cero muchas veces. Me ha tocado iniciar nuevas relaciones, destruir ideas anticuadas para reemplazarlas con ideas nuevas que vayan acorde con esta versión de mí que hoy tengo el placer de mostrarle a ustedes. A mucha honra, hoy puedo decir que soy mejor ser humano de lo que era hace más de diez años atrás; y es que si no aspiramos a eso, no sé a qué estamos aspirando, pero eso no llegó como por acto de magia.

Tuve que comer mierda, cometer errores, estar enfocado en cosas incorrectas, rendirme, ser un asco de persona, que el ego me dominara y responsabilizar a mil factores antes que entregarme a la difícil tarea de mirar hacia adentro. Y cuando lo hice, todo cambió. Allí ocurrió el punto de quiebre en mi vida que fue mi primer evento masivo en Puerto Rico, un evento que hasta ahora no olvido y probablemente nunca olvidaré. Lo que muchas personas desconocen es que durante este evento me sentía como un payaso, porque les estaba dando a las personas una oratoria de edificación, hablándoles de la importancia de la fortaleza de carácter, mientras yo estaba viviendo un fracaso emocional. Hoy, estando sano, puedo decirles que estaba en un lugar muy oscuro en mi vida, un lugar del cual pensé que nunca podría levantarme.

> *"Rehúsate a que te juzguen por la cantidad de veces que te caes, oblígalos a medirte por la cantidad de veces que te has levantado"*

El dinero es importante, pero no la solución a todas nuestras crisis existenciales, teniéndolo todo puedes llegar a sentirte muy vacío. También es cierto que prefiero estar triste teniendo una preocupación menos, que estar triste y sin dinero, ahí ya tendría dos problemas serios. Cada palabra que salía de mi boca en esa tarima, dolía, calaba hondo, y tuve que aguantar las ganas de estallar en llanto cada segundo que permanecía ahí. Me sentía como un farsante, me pregunté muchas veces cómo podía estar dando yo ese tipo de discurso sintiéndome como me sentía. Un mes antes del evento creía que ya no podía más, pasó de todo por mi mente, incluso cancelar el evento y devolver el dinero de los boletos vendidos, pero yo no soy el tipo que se rinde, esto no era una opción. Esas personas iban a ese evento buscando algo, y era mi responsabilidad ir a brindarlo.

Caí en un estado de complacencia después que logré dos o tres cosas, me confié demasiado y pagué el precio de mis acciones. Descuidé muchas áreas de mi vida que nunca debí haber descuidado, pero gracias a Dios tuve personas que fueron clave en mi proceso y me ayudaron a salir de ese espacio en el cual me encontraba.

Mi conferencia "Desenmascarando el fracaso" fue una prueba. Probó cada discurso, cada creencia, cada relación. Me transformó en una criatura distinta, una que estaba dispuesta a empezar desde cero si la vida me tiraba a una trinchera de la cual salir fuese una tarea compleja. Marqué el comienzo de un nuevo periodo en mi vida después de ese evento, sentía que estaba en otro nivel mental, que tenía una ventaja ante el mundo, y esa ventaja era marcada por ese evento que se dio en octubre. Desde ese entonces, todos los meses de octubre comienza un nuevo año para mí. Las ventajas son cruciales, en los deportes, en la política, en la vida, en todo. Sentí desde ese preciso instante que, a diferencia de mis pares, vivía en el futuro después de haber afrontado ese obstáculo de manera exitosa.

¿Cómo puede alcanzarte tu oposición si vives tres meses en el futuro? Esta fue mi manera de establecer que volver a caer en ese espacio de vulnerabilidad no era una opción, y que debía estar tres pasos delante en todo momento. La adversidad no podía desmoralizarme de ninguna manera, y ser responsable también implicaba no tener altas probabilidades de iniciar otra vez desde cero. No importa cuantas cosas logres, siempre cabe la posibilidad de que la vida ponga barreras en tu camino, o simplemente se convierta en la máquina del tiempo y te devuelva al ayer. Si buscabas en este libro "la fórmula" lamento defraudarte, campeón, no existe fórmula, ni mucho menos atajos, hay que joderse, y no renunciar en el camino.

Todo lo discutido en este libro, aunque se hizo con un orden, puede ser reajustado a tu conveniencia. Puede que descubras áreas a refinar en el camino y tengas que revisitar distintos capítulos en un orden alterado.

Hazlo. Convierte este libro en un manual, hazle marcas con un resaltador de textos, subráyalo, dobla las páginas, que se convierta en el mapa de un soldado perdido en el monte y emplea lo aprendido.

A mí no me importa que recites el libro de memoria si no reúnes el coraje para ejecutar lo aprendido. Si has llegado hasta aquí es porque encontraste valor, herramientas, pero de nada valen esas herramientas si no las usas. Por leer este libro no se te va a poner una estrellita en la frente como hacían en Kinder, y su propósito no es que lo coloques en tu lista de trofeos del ego para sentirte bien.

Hoy te reto a que comiences, si todavía no lo has hecho. Yo no soy tu entrenador de gimnasio, al cual llevas años cogiendo de tonto diciendo que empiezas el lunes, porque al único a quien engañas es a ti. Te reto a que tomes acción en las próximas 24 horas, eso es más que tiempo suficiente para poner todo lo aprendido en práctica. Empieza autoeducándote, vendiendo, mercadeándote, no me importa cual sea tu visión de tomar acción, pero ponte en acción y hazlo dentro de las próximas 24 horas. Las probabilidades de que no hagas absolutamente nada si te dejas enfriar y que pase ese lapso de 24 horas son grandes, así que la bola está en tu cancha. ¿Vas a seguir con la máscara puesta? ¿Le quitarás la máscara a tu verdugo?

Sobre todas las cosas, si nunca te lo han dicho, yo creo en ti y soy tu mayor admirador, creo en tu potencial, pero no llegará el resultado en bandeja de plata, tienes que salir a sangrar, a buscar tus cicatrices, las marcas en tu armadura. Con lo que acabas de lograr, nadie puede decirte una mentira acerca del fracaso y que la conviertas en tu realidad. Sal y desenmascara el fracaso de una buena vez y por todas.

ACERCA DEL AUTOR

JOSÉ GALINDEZ es un estratega de negocios y emprendedor en serie fascinado con la autoeducación. Para algunas personas destacar sus logros es lo que le da propósito a su vida, a José le resulta más prudente que se le reconozca por la cantidad de veces que se ha caído.

No caber en ningún molde es su especialidad, compartir perspectiva es su cometido, impactar la vida de millones de personas es su obligación. El mercado de las divisas digitales fue lo que le ayudó a alcanzar la libertad financiera. Elegir el camino de un inversionista viene con un precio alto, el riesgo y la incertidumbre son parte de la ecuación que forma a un empresario, este es el camino que él escogió, y su misión es acompañarte en el camino.